女同士とかありえないでしょと言い張る女の子を
百日間で徹底的に落とす百合のお話
4

あははは……
そだね……
榊原もハグする？
そうだね、してもらおうかな……
虚無…
[いとう なつみ]
伊藤夏海

「ハグすると、ストレスが半分消し飛ぶって話だけど――」
「ふたりがかりだから、もうぜんぶ消し飛んでますすね！」
祝嶺《しゅくみね》 晴《はる》
!

鞠佳、ちょっといい？
「……んっ」
空き教室で――

!?
……妬いてる？
うん

ふたりのValentine's Day❤

目次［もくじ］

ARIOTO
onnadoushitoka ARIENAIDESYO to iiharuonnanoko wo
hyakunichikan de TETTEITEKINI otosu
yuri no ohanashi

プロローグ …… 3
第一章 …… 40
第二章 …… 81
第三章 …… 146
第四章 …… 197
エピローグ …… 252
書き下ろし短編
百日間で徹底的に落とされた女の子と、どうしてもあと一歩が踏み出せない女の子のお話 …… 274

女同士とかありえないでしょと言い張る女の子を、百日間で徹底的に落とす百合のお話4

みかみてれん

GA文庫

カバー・口絵　本文イラスト
緜

プロローグ

ARIOTO
onnadoushitoka
ARIENAIDESYO to
iiharuonnanoko wo
hyakunichikan de
TETTEITEKINI otosu
yuri no ohanashi

……しょーじき、ありえない。

自分の発想に自分でヒく。でも、思いついたときのあたしは、めちゃくちゃ真剣だったのだ。

ここで回れ右をするのは、昔の自分に負けた気がしてイヤだ。

季節が2月に差し掛かろうとしてた頃《ころ》。

あたしは、さっきから夕方のドラッグストア店内を迷子みたいにうろうろしてた。お探しものは、とうに見つかってるのですが！

あーもー！　往生際《おうじょうぎわ》が悪いぞ、榊原鞠佳《さかきばらまりか》！

クラスでは陽《よう》キャ代表みたいな顔してるくせに、こんなところで30分もうじうじ悩んでるとか、かなりダサい。

そうだ、なんのために遠くのお店まで来たのか。いい加減、覚悟を決めろ！

あたしはマスクで隠した口元を引き締め、グレーのキャスケットをぐいと引き下げ、変装丸出しの不審者コーデでそのコーナーへとにじり寄った。

介護用品や、サプリメントなんかの棚を通り過ぎた先である。

さっき横目で確認したけど、あたしは再び顔をしかめる。なんで、突き出たコーナーにまとめて置いてあるのか。これじゃあ他の商品を物色するフリしてリサーチすることもできない。

目の前には、筆箱大の色とりどりの長方形の箱がみっしりと並んでた。

そう、ここは避妊用品売り場……。

もちろん男子とどうにかするために……などではなく、絢《あや》との行為のためにあたしはわざわざこんなところまで足を運んでた。

事の起こりは一週間前。

クラスでファッション誌を読んでる最中のことだった。

友人の三峰悠愛《みつみねゆめ》と松川知沙希《まつかわちさき》らと一緒に、記事のＪＫ恋愛マメ知識、みたいなのに目を通してたらね。

別に大したことじゃないんだけど『そういえばさー』ってふたりが言ってたのは、ゴムのことだった。女子同士のプレイであっても、ゴムを使用する場合があるのだと。むしろ粘膜（※精一杯がんばった表現）を傷つけないために、推奨されてるって！

そうかなるほどって思ったんだよ！

絢があたしに優しくしてくれるのは嬉《うれ》しいけど、そこから先に進んでくれないのは、ゴムを用意してなかったからか⁉　って！

じゃあ買っといてやろうじゃんってさ！

思い立ったら行動！　それがあたしってもんでしょ！

あたしはドラッグストアで、棚のラインナップを睨《にら》みつける。その場から逃げ出したい気持ちを、根性で抑え込みながら。

０・２とか０・３とかの大きく書かれた数字は薄さで、薄ければ薄いほうがいいんだっけか……。あとはなんかジェルついてるのがいいって書いてあった。

数はどうしよう。いや、さすがに一箱でいいよね。三箱入りとか買ってったら、どんだけ絢としたいんだよって話だし……。一箱用意した時点で、めちゃくちゃからかわれるだろうけど！

とりあえず一番目立つ箱を手に取ろうとして、いや待てよと止まる。

絢、他の子と経験あるんだよね……。

つまり、絢はぜったい口に出しては言わないだろうけど『あ、これ、○○さんと使ったことあるパッケージのやつだ』って、思われる可能性があるってことだ。

うわあ……ぜったいに思われたくないぃ……。

別に今さら絢の過去に嫉妬《しっと》したり、詮索《せんさく》する気はないけど！　かなりイヤだ。

もう薄さとか何コ入りとかどうでもいいから、新製品って書いてるやつにしよう。けっこう高いけれど、仕方ない。箱を手にして、これだけ持ってレジにいくのは恥《は》ずかしすぎるので、飲むヨーグルトとチョコレートを追加した。お会計の列に並ぶ。

周りのお客さんが全員こっちを見てるような気がして、マスクの中の顔がめっちゃ熱い。気晴らしになにか、違うことを考えよう……。そう、バレンタインデー！　もうすぐバレンタインデーだから、絢にプレゼントしなきゃなー！

贈り物を考えるのは楽しい。絢へのプレゼントならなおさら。

なにかアクセサリーとか、またアロマグッズでも贈ろうかな。でもせっかくの日だし、定番のチョコレートとかいいかも。

ただ、絢ってそんなに甘いの好きじゃないっぽい。コーヒーはいっつもブラックだし、デートでパンケーキ食べにいったときも基本、ティラミス系とかプレーン系のを頼むし。あ、だったら手作りってのもアリっちゃアリ？

そんなことを考えてる間に、列はあたしの番になった。自然に、あくまで平静に……。女子大生っぽいアルバイトさんの前に、抱えてたゴムやらを置く。

うっ、なになに、なんでわざわざ紙袋に入れるの⁉　それじゃああたしがゴム買いましたよー！　って言いふらしてるみたいじゃん！

「お値段、三点で１６４２円です」

「うぐ……はい」

「あの、ポイントカードは」

「大丈夫ですので！」

お釣りを受け取り、紙袋を引《ひ》っ摑《つか》んで退散。

あたしは帽子を目深《まぶか》にかぶったまま、足早にお店を離れる。

くー、買い物でオドオドするなんて、どれぐらいぶりだろ。生まれて初めてひとりで下着を買ったときとか？

はー、世の中の男子女子はこんな想《おも》いをして、コンドームをゲットしてるのかなあ！　恋する子たちは偉いなあもう！

でもあとから振り返れば、生理用品を買ったって紙袋に入れてもらうんだから、あたしの考えすぎなんだけど……このときは必死だったので、なにもわからなかったの！

＊＊＊

今年の冬休みは例年以上に短く、ほんとあっという間だった。

いろいろアクシデントはあったけれど、概《おおむ》ね幸せに過ごせたクリスマス。あたしはお母さんに絢《カノジョ》のことをカミングアウトした。

実際こわかった。なにを言われるのか、これからどう見られるのか、お母さんとの関係がどうなっちゃうのか。

ぐるぐる渦巻いた不安に負けず、それでも口に出したのは、絢への義理というか、なんというか……愛と言うのは恥ずかしいので、たぶん意地みたいなもの。

えいやあと告白した結果は、あまりにも軽いリアクションだった。

『いいんじゃない？』とか言われて、む、娘が勇気を振り絞ったのになんだそれは……！　って愕然《がくぜん》としちゃったんだけど、重く受け止められるよりはずっとよかった。

仮に泣かれたところで、はいそうですか、って絢と別れるなんて考えられないしね。まあ、そんなヒトじゃないってわかってたから打ち明けたってのもあるわけだけど。

あたしはすっかり気が楽になった。

しかも、それだけじゃない。

お母さんがあたしのデートや夜遊びに理解を示してくれるようになったのだ。

『絢ちゃんが一緒なら、まあいいでしょ』という態度。

あたしと絢、どこで信頼度に差がついたのか。あいつお母さんの前で猫かぶってるだけだからね。あたしのがよっぽど品行方正だよ、まじで。

とか、余計なことを言って締めつけがキツくなってもやぶ蛇《へび》なので、『わーい、おかーさんありがとー』と、精一杯いい子を演じておくことにしたのだった……。

おかげさまで、年末年始は絢が我が家に遊びに来て、のんびり楽しく過ごせた。

すっかり大人しくなって『いえ、お構いなく。……あの、ほんとに私のことは、お気になさらないでください』なんて一生懸命、気を遣《つか》ってる絢は健気《けなげ》で、見てて面白《おもしろ》かった。

キッチンでお母さんの隣に並んで、絢が晩ごはんの準備を手伝ったりしちゃってさ。

うちに絢がいるのだって現実感なかったのに、今度はお母さん公認だよ？

ほんと不思議な感じ。

けどさ。話したこともなかった絢に触れるのが当たり前になって、次第に絢とキスするのが当たり前になって。

女同士がありえなくなくなって、女の子を好きな気持ちが当たり前になって、絢と付き合うのが当たり前になった……みたいに。

きっとそのうち、あたしの家に絢がいるのだって、当たり前になってゆくんだろうなー、ってぼんやり思ったんだ。贅沢《ぜいたく》すぎる話だけどね！


冬休みの間、絢はまた何日か泊まっていったりした。

今度はリビングではなく、あたしの部屋に布団《ふとん》を敷いて、だ。

いやもちろん、家にお母さんがいるから、ヘンなことはしませんでしたよ!?　てかさすがに、そういうムードにはならなかったしね！

あたしと絢だって、別に四六時中えっちなことしてるわけじゃないので……。

非常に健全なおうちデートの日々でした。

それでも、家族の目を盗んで、キスぐらいはしてたけど……。もう高校生なんだから、それぐらいはフツーでしょ、フツー！

当たり前の特別にあふれた冬休みは過ぎ去って、学校が始まって、それからもあたしと絢は変わらずラブラブなままで。

ただ、こんなにも幸せなあたしには、今、残念ながらひとつの大きな悩みができていたのです。

それが……そう、『絢に大事にされすぎてない？』問題。

＊＊＊

ゴムを買って数日後の放課後、あたしの部屋。

最近は絢の家より、あたしの家に来ることが多くなった。そりゃ親公認だしね。

久々にふたりともバイトがなかったので、テーブルを挟んでそれぞれ教科書を広げてる。

目は宿題を追ってるけど、上滑り。

仕方ない。本日は前々から聞いてた、お母さんの帰りが遅くなるデーなのである……。

つまり絶好のチャンスってこと。先日買ったばかりのアレを出すタイミングを、あたしは今か今かと窺《うかが》ってるのだ……。

「……」

上目遣《うわめづか》いでチラリと見やれば、その瞬間にばっちりと目が合ってしまう。

「どうかした？」

「あ、いや」

待ち構えられてたのか？　って勘ぐるほど、絢はあたしの視線に敏感だ。

不破《ふわ》絢は、成績が学年トップクラス。武道を修めていて、スタイルもよく、おまけに容姿に関しては非の打ち所のない美少女だ。

誰《だれ》もがこうなれたらいいなと思う女の子像を、リアルに実現してる高校二年生。

一本一本が細くてさらさらの髪は、ちっちゃい子みたいにキメ細かくまとまっていて、撫《な》でると指先になんの引っかかりもなく落ちていく。羨《うらや》ましい。

不思議な色をした翠玉色《すいぎょくいろ》の瞳《ひとみ》は、吸い込まれてしまいそうなほどに深く輝いていて、その奥には人魚姫のような憂いの色が見え隠れ。退屈そうな顔や、ため息が似合うのも、絢の特徴的な目つきのせいだ。

けどそれが、ドキドキするような色気だったり、息を呑《の》むような大人っぽさだったり、ときには昼下がりにまどろむ猫のかわいらしさだったりしちゃうのが、不破絢の卑怯《ひきょう》なところで。

結局、顔のパーツが完璧《かんぺき》に整ってる女は、なにをどうしたところで人からイイ風に解釈をされる、という見本なのだ。（ハロー効果って言うらしい）

身長も163センチと申し分なく、その気になればどんなモデル事務所にだってよりどりみどりで入れるのだろう。とはいえ、夜のバーテンダー姿だってめちゃくちゃ似合うから、もうなんでもいいんじゃないかな。

絢はなにをしてても不破絢ってことだ……。

とまあそんな風に、学校では常に澄まし顔で『感情？　人間にそんなものが必要なの？』とでも言いたげな絢だけど、ペースの乱れるときもあって。

それはたいていあたしに関《かか》わることだったりするから、カノジョとしてはまあまあ、絢のトクベツでいられてるのかなって、自負もできるようになってきた。

付き合い始めて半年以上経《た》ったことだし。

そろそろ、ここいらで次のステップにいきたいなって、あたしは思うわけで。

「ね、絢」

「うん？」

学校帰りだから、絢は制服のまま。一方、上だけ着替えたあたしはもこもこのセーターをかぶって、毛糸の靴下まで穿《は》いてる。

「さ、寒くない？　カーディガン着る？」

「そだね」

あたしが後ろから引っ張り出した白のカーディガンは、絢の私物だ。冬休みの間も入り浸ってたから、あたしの部屋にはずいぶんと絢の持ち物が増えた。私服に加えて、充電器とか、メイク落としとかもその一部。

冬服のスカートから伸びた、絢の長い脚。タイツに包まれたしなやかな曲線をちょいちょいと指先でくすぐりつつ、あたしは。

「えー、あのー」

「わからない問題があった？　教えてあげる？」

「いや、そういうわけでもなく……」

あ、やばいなこれ。

なんか、え？　なんか恥ずかしいですね⁉

どのタイミングで『実はゴム買ってある』って切り出せばいいものか。

正解はわかってる。意識せずに自然に出せばよかったのだ。

もう永遠にできないけど！

「鞠佳が私にいいづらいこと」

その一言にぎくりとした。

絢は下顎《したあご》にペンを当てながら、見えないものが見えてる猫みたいに視線を中空に飛ばす。

「ヤキモチをやいちゃうから、バーのバイトをやめてほしい、とか」

「え、言わないよそんなこと。あたしあのお店好きだし」

「じゃあ浮気《うわき》。他に好きなひとができた」

「ありえないから」

思わず飛び出たセーフワード。『ありえない』はもともとあたしの口癖だったんだけど、絢との取り決めで別の意味をもつようになった。どんなプレイの最中でも、それを中断できる魔法の言葉だ。まあ、あたしはまだ使ったことがないんだけど……。

てか、むしろ真逆だよ。好きな人にどうやってゴム出そうか苦悩してるんだよ。

あたしの恋人は、免疫のない子が見たら一発で惚《ほ》れちゃいそうな微笑を向けてくる。

「ありえないとまで言われるのは、うれしいけどね」

「自分の顔を鏡で見てみなさいよ」

絢は、唇に指を当てていたずらっぽく微笑《ほほえ》む。

「鞠佳は、私の顔がいいから好きになってくれたの？」

「ええっ？　それだけじゃないけど……でも、容姿がタイプかどうかは大事だし？」

絢の顔面偏差値は東大主席合格レベルだけど、もちろんただキレイだから惚れたというわけでもない。実際、絢クラスの美人は他にも何人か知ってる。だからって、同じようにビビッと来たわけじゃなかったし。

言ってしまえばあたしは、きっと『絢の顔』が好きなんだと思う。

表情、眉《まゆ》の角度、目の色。他にも声も、匂《にお》いも、指の形だって、あたしの好みはぜんぶ絢に引きずられちゃってるんだろう。

なんて考えてると、話の流れでつい聞いてしまいたくなる。

「逆に絢は、あたしの顔はどうなの？」

ちゃんといろいろとケアもしてるし、自分ではまあまあそれなりの水準に達してるんじゃないかと、思ってはいるけれど。

やっぱり恋する女の子として、恋人から直接褒《ほ》めてほしいっていう気持ちは、そりゃあるよね。あ、なんか恥ずかしいな。

けど、絢は。

「鞠佳は、存在がえろい」

すげえこと言ってきた。

「今、顔の話してるんだよね⁉」

「そうだけど、切って切り離せるものでもないから」

「わかるけど。……え、存在がエロいの？　あたし」

「いいいい、そりゃもう」

絢の目にポッと炎が灯《とも》る。やば。

「まず顔がえろい。笑うときに口をおっきくあけるところとか、いやがるときにおもいっきり眉をひそめるところとか、感情表現の無防備さがえろい。表情はもちろん、顔の造形じたいもすごいそそる」

なに言い出してるのこの子。

「えろくないし！」

「いや、えろいよ」

当たり前とばかりに断言された。

「体つきも、声も、耳の形も、性格も、味も、なにもかも遺伝子レベルでえろいんだから、鞠佳はもうちょっと自覚して。隙《すき》をみせないで。心配になるから。外に出るとき必ずきぐるみ着ててほしい」

「そんなこと言うの絢だけだから！」

恥ずかしくなって思わず体を抱きながら叫《さけ》ぶと、それすらも絢に「リアクションがえろい」と指摘された。どうしろっていうの！

「絢、あたしのこと、そんな目で見てたの……？　ケダモノじゃん……」

「呼吸している鞠佳、きょうもえろいな、って」

あたしじゃなかったらドン引きだよ。

「今までも絢のことわからなかったけど、ますますわかんなくなっちゃったな……」

そりゃあたしだってときどきは『なんかエッチな顔してるな、絢……』って思うことはあるけど、基本はきれいだなー、かわいいなー、って感じだし。

「てか、それは女の子としてどうなの……？　エロいって、え、あたし大丈夫？」

「最上級のほめ言葉だよ」

「そりゃあんたからはそうでしょうけど！」

ほんっとこいつ、年頃《としごろ》の女の子になんてこと言いまくるんだ。

いくら褒められてても、そんなんじゃぜんぜん嬉しく……いや、ちょっとは嬉しい！　最上級か！　嬉しいな！　悔《くや》しい！

照れ隠しに半眼を向ける。

「絢ってば、もしかして知り合う前からそんなこと思ってた？」

「まあね」

この子、好き＝エロい、なのかしら……。

絢の謎《なぞ》の好みが判明したところで、将来的にはいろいろと心配になっちゃいつつも、今ばっかりはチャンスと言ってもいいだろう。

「あ、あのさ」

あたしは脚を伸ばして、向かいに座る絢の脚にぴったりとくっつける。すべすべのタイツに毛糸の靴下を、甘えるみたいに擦り寄せながら。

「実はね、絢。あの、あたしね」

「えろい」

「それはもうわかったから！」

ねっとりとした視線がこそばゆくて、ついつい目をそらす。

「きょう、お母さん帰ってくるの遅くて」

「そうなんだ」

「うん、それで……」

エロいエロい言われたせいで、いろいろと意識してしまいそうになる。

「あたし新しい下着つけてて、オーバドゥみたいに高いものじゃないんだけど、かわいいやつ見つけてさ。衝動買いしちゃったんだよねー、的な感じで……」

ちらちらと絢を窺う。

「ね、絢、見てみたくない？」

絢がテーブルに肘《ひじ》をついて、顎を乗せた。新卒の相談を受けた百戦錬磨《ひゃくせんれんま》のバリキャリみたいな、余裕たっぷりの雰囲気。

「見たくないときなんてないよ」

それはそれでどうなんだ、と思いつつ。

「そ、そっか。だったらさ、あの」

「それじゃあ、鞠佳から見せてほしいな」

思わず聞き返す。

「あ、あたしから？」

「うん。前をはだけて、スカートめくってみせて」

「な、なにそれ……。別に、いいけど……絢ってば、そんなのがいいの？」

ヘンな趣味……。理解ができないのはいつものことだけど。

「うん、鞠佳だからそれがいいの」

絢はすっかり優しく冷たい目のご主人さまモード。気分が上ずってるのもあって、あたしは言われるがまま、手をスカートの裾《すそ》に伸ばしてしまう。

「違うよ。そうじゃなくて、立って、こっちにきてね」

「ええー……？」

なんかそれ、見せるんじゃなくて、見せつけるって感じ……。

でも、絢はなんだか楽しそうだし、あたしもムードを高めたいからって、恥ずかしいのに従っちゃったりして。

こういうノリのいいところが、エロいって言われる原因なのかなあ……。

絢の目の前に立つと、下から覗《のぞ》かれてる感覚がして、思った以上に照れる。

ちょうどスカートも目線の高さだし、これほんとに『見てください』って感じ。

「は、ハズ……」

「ほら、早く、鞠佳」

「うう」

先にシャツをめくることにした。子どもが着替えるみたいに、ぐいと上にひっぱりあげて、ブラを露出させる。

「かわいい」と絢がぽつりつぶやいた。顔が熱くなる。

今流行《はや》りの、総レースのブラだ。カラーは濃紺で、新品だからまだツンとした生地《きじ》の肌触りがきもちいい。

にしても、下着なんてえっちするときには毎回見られるものだし、そもそもクラスとかの着替えでは気にすることなんてまずないのに。

視線を浴びたところが、チリチリと熱い気さえする。

『見られる』と『見せる』のって、こんなにも違いがあるんだ。

っていうかこんなの下着に限ったことじゃなくて、新作のお洋服を披露するときだって、あからさまにもったいぶってたら恥ずかしいもんでしょ……。

「じゃあ、次は下だよ」

「はいはい……」

いったんシャツを下ろし、従順にはなりきれない天《あま》の邪鬼《じゃく》な態度で、あたしはちょっとずつスカートを持ちあげる。つつつと裾がふとももを撫でてゆく。

ふと視線を下ろせば、絢はじっとあたしのスカートの奥を見つめてた。釘付《くぎづ》けだ。

頭が痺《しび》れてくる。あたしのスカートがあがるのを待ってる絢が、なんだか無性にかわいく思えてしまった。

「ふふ」

「……」

手を止めてると、ぱちりと絢の目があたしに向けられた。早く見せて。と、そう請われてるみたいだ。

立場逆転。そんなに見たいの？　と口に出さず口元を緩《ゆる》めると、絢の目つきが鋭くなった。背筋にぴりりと電気が走る。

「鞠佳」

「なんですかー？」

煽《あお》るように聞き返す。

笑みを浮かべながら、スカートの裾を猫じゃらしみたいにひらひら揺らす。

見たいんでしょ、あたしの下着。ね、ね。ほらほら。

すると、絢が手をふとももの間に、ぴとっと差し込んできた。冷たっ。

「ねころがって、おなかを見せつけながら、あそんで、あそんで、ってしてるみたいだよ、鞠佳」

「こ、これは、絢がやれって言ったんでしょ」

「早くしないと、してあげないよ」

絢が手のひらを鉤爪《かぎづめ》みたいにして、あたしの内ももを撫であげていく。

指先の動きはスカートの裾の辺りで止まった。

円を描くように脚を撫で転がされて、じんじんとした疼《うず》きがその奥に溜《た》まってゆく。

「したいのは絢でしょー……」

「自分からさそっておいて」

「それは、そうだけど……」

「それとも」

絢の口調はなにも変わってないはずなのに、迫力が増した。

「きょうは乱暴にされたい気分なの？」

思わず『ごめんなさい』と謝りそうになって、あたしは生唾《なまつば》を飲み込む。

すっかり、立場が叩《たた》き込《こ》まれてる気がするけど、これはたまたまだ。絢の言う通り、きょうのあたしがおねだりする側だからに過ぎない。いつもはキチンと対等……のはずだ。

あたしはぐっと反論を呑み込んで、ようやくスカートをたくしあげた。ピンと開いた脚の間に、ブラと同じレース柄の、白のショーツが顔を出す。

「……ど、どうぞ」

ご覧ください、とばかりにあたしはそれを見せつけた。

ツートンカラーの上下セット。下は濃紺のラインが入ってて、色違いなのにセットみあるのがかわいくて、一目惚れで買っちゃったやつだ。

スカートを持ちあげたまま絢の反応を待つけど、彼女はノーリアクション。

む……これぜったい、さっきもったいぶったことへの仕返しだ……。

「あの、絢」

「かわいいよ」

「ひゃっ」

絢の中指がいきなり、ショーツに覆《おお》われた部分の中心線をずろりとなぞる。

「ちょ、ちょっと急に」

「うん、かわいい。かわいかった。ありがとうね」

「だったらなんで、そこ、いじって……」

爪《つめ》を立てるようにして、何度もカリカリとこすってくる。そのたびにぴりぴりして、腰が跳ねてしまう。

「あの、ですね、絢さん」

「なあに」

「ちょ、いったん、いったんとめてくれませんか」

このまま責められると、話ができなくなっちゃう。

言わなくちゃ、きょうはゴム用意してきたんだよ、って。

絢の指が止まる。素直に従ってくれたと思った矢先に、絢は手を今度はショーツの中に滑り込ませてきた。ちょっと！

「なんで⁉」

「みせてくれた、お礼？」

「おかしい！」

表面積の小さなショーツの中に、女の子の細い指が入り込んでる光景というのは、きっと男のそれよりもよっぽど淫猥《いんわい》なんじゃないかって思う。

絢は果実の熟れ具合を確かめるみたいに、指で軽くつついてきた。しっかりとなにかを見極《みきわ》められてるその感じがすごく、困る。

「鞠佳のここ」

「言わないで！」

「もうすっかりぬれてる」

「って言ったのに！」

絢があたしの言うことを聞いてくれないのはいつものことだけど、にしたって恥ずかしい。だってこれ、あたしが下着を見せつけてる間に興奮しちゃってたってことでさ。それをわからされるなんて、あんまりな羞恥《しゅうち》プレイだ。

立ってスカートをめくってるあたしの前、絢は差し出されたワインをテイスティングするみたいな、女王様顔。

クリスマスのときは、こっちがお嬢様でそっちがメイドだったくせにー……。

絢は溝に這《は》わせた指をゆるゆると前後させて、なんかその自然現象で出てきちゃう蜜《みつ》みたいなのを塗りたくって、すべりをよくしていく。

マッサージ前の準備にジェルを塗りたくられてるような気分。さあこれから始めますよ、激しくしていきますよ、準備はいいですか？　っていう……。

「あ、あのさ、絢。ちょっとお話が」

「ん」

「ひゃ」

絢が顔を近づけて、その場所にショーツの上からキスをしてきた。

ふとももをがっちりと両腕に抱かれてて、腰の逃げ場所がない。

「絢、これ、っ」

するするとショーツを引き下ろされる。ふとももで止まったそれは足枷《あしかせ》みたいで、あたしをソフトに拘束する。

「ん……ちゅ……」

スースーして心もとないところに、今度は絢の唇が触れた。

「ふぁ……っ、ん……」

刺激は指なんかよりぜんぜん弱いのに、背筋まで一気に快感が突き抜ける。

あたしの脚の付け根に顔をうずめて、デリケートな部分への秘めやかなキス。甘い言葉を紡《つむ》ぐ絢の、きれいでみんなの憧《あこが》れの唇が、そんなことを。

この先を期待して、胸がドキドキする。あたしだけが絢にトクベツなキスをされて、やらしい優越感に満たされてしまう。

「なに？　鞠佳」

「え？」

「話って」

「あ、えと……」

逡巡《しゅんじゅん》してしまった。

万が一、ここでゴムを出して絢の気分を削《そ》いでしまったら、続きをしてもらえないわけで……。

揺れるあたしの瞳を見てか、絢はくすりと笑みをこぼす。

「わかった。先にきもちよくしてあげるね」

「あっ、や、そういう意味じゃ」

ぬるりとした舌が突き入れられた。皮膚と肉をかきわけて入り込んでくるその粘膜は、指よりも優しくて、自由に形を変えながらあたしのそこを責め立てる。

「ああっ……んんっ」

つままれるのとはまた違う、舐《な》められる、吸われるという多彩な刺激に、思わず声が出た。

つまんでたスカートが落ちて、はらりと絢に目隠しをする。

絢が下に口づけしてくれたのは、ほとんど数える程度の回数しかない。

唇はトクベツだから、誰彼《だれかれ》構わずしたりはしない、みたいなことを言ってた気がする。

その話を覚えてたから、あたしはクリスマス、初めて絢に自分からしてあげるときには、キスしようって決めてた。

ちゃんと、あたしにとって絢は特別なんだよ、って伝えるために。

けど、あんまりしてこないのと、上手《うま》い下手はぜんぜん別問題だった。

「や、あぁっ……絢、すごぃ……」

下半身が溶けちゃいそう。

「鞠佳、これされるの好き?」

「う、うん、うんっ……すき、すき……」

あられもない声が外まで聞こえてしまいそうで、両手で口を押さえる。

緩急つけて与えられる粘膜へのキスに、膝《ひざ》ががくがくして、立っていられなくなってきた。

舐められてるところがぜんぶ、発熱したみたいに熱い。

「ふふ……じゃあ、いっぱいしてあげる」

顔を出して微笑む絢が、再びスカートの奥へと潜り込んでくる。

たまに大きな音を立てて吸われたりするものだから『ほら、聞こえるでしょ？　鞠佳はえろいんだよ』って絢に教え込まれてるような気分になってしまう。

「だ、だめだよ、だめ……もう、立て、ないぃ……」

「いいよ、鞠佳。支えててあげる」

絢の頭を両腕に抱くようにして腰を折り、あたしは深く長く息をつく。絢はあたしがきもちよくなりたいタイミングで、突起を執拗《しつよう》に舐め転がしてくれた。

高ぶりが一気に押し寄せてきて、頭に火花が散る。

「あ、あ、あ、あああぁっ…………はぁ……」

口を大きく開けて、過呼吸みたいに息を荒らげる。

きっと、絢が見てないのをいいことに、すっごい顔しちゃってる……。

絢のくれた快感を名残惜《なごりお》しそうに手放しながら、あたしはゆっくりと全身を脱力させた。

「はぁ……はぁー……絢ぁ……」

絢があたしのスカートの中から顔を出す。

つやつやに濡《ぬ》れた唇を舌で舐めながら、彼女はいやらしく微笑んでた。

「ちゃんときもちよくなれたね、鞠佳。かわいかったよ」

「あぅ……」

ぺたんと腰を下ろしたあたしの頭をよしよしと撫でてくる絢は、まだぜんぜん満足してないのか、さらにスカートの中に潜り込もうとしてくる。

あたしもすっかりスイッチ入ってるから、絢に『続きしてくれるんだぁ……♡』なんて、甘えた眼差《まなざ》しを向けちゃいそうになるんだけど。

ハッと気づく。

「あ、ちょ、ちょっとまって、絢、ねえ、絢」

「どうかした?」

「ゆ、指で甘いじりしながらとか、話を聞く気がない!」

あたしは両手で待った待ったと絢の手を包む。

「ちょ、ちょっと大人しくしててね。話せなくなるから」

「鞠佳がなにか言おうとしているのにいっぱいいっぱいになってだめだめって顔してるの、正直たまらなくて。好きな顔ランキングでも上位」

「知らないけども!」

あたしはずりずり這って、近くの引き出しを開く。

絢が盛《さか》ってるならチャンスは続いてる。

まるで新作コスメを紹介するみたいに、それを顔の横に掲げた。

「あのね、これ、これ見て」

さすがの絢も眉をひそめた。

「コンドーム？」

「うん、そう。あの、あのね」

くっ、やばいなこれ、恥ずかしい！

ゴム出した意図を説明するの、買うときと同じぐらい恥ずかしいよ！

一度、きもちよくさせられた分、あちこち汗かいちゃってるし、きっと顔も耳まで真っ赤《まっか》になってる。

これがベストなタイミングなのかどうかを判断する余裕なんてないし。ええいもう、言うしかない！

「ほら、指入れるときに、粘膜が傷ついたらいけないっていうか！」

照れる必要なんてない！　大事な話なんだから！

「もし絢が気にしてるんだったら、ほら、使ってくれていいから、ね、ね！」

絢は箱ごとあたしの手を握った。

「鞠佳」

きれいな瞳が近い。

真剣な眼差しに思わずドキッとする。

「これ、自分で買ってきたの？」

「う、うん。まあ、余裕だったけどね」

これは、いい雰囲気……!?

しかし、絢はすぐにがっくりと肩を落とした。

い、なぜ!?

「なにそれ、恥ずかしがりながらお買い物をする鞠佳、ぜったい見たかった……。遠くから見守っていたかった……」

「人の羞恥心《しゅうちしん》をエンターテインメントにしないでくれない？」

「ねえ、ちょっとこのコンドーム違うから、今から初めてのお使いいってきてくれないかな。私、近くでカメラ回してるから」

「それお使いじゃなくて、ただのプレイでしょ！　ヘンな映像コレクション増やそうとしないでよ！」

ていうか、とあたしは持った箱を怪訝《けげん》そうに見やる。

「え、違うの？　これ。あんな思いをしてまで買ったのに……」

「ちがうわけじゃないいんだけどね」

絢は自分の鞄《かばん》から、包みを取り出した。コンドームっぽいんだけど、それよりは一回りも小さい。

「フィンドムっていうんだけど」

「なにそれ」

「指につけるゴムだよ。女性の膣内をきずつけないための商品で、購買者の八割は女性ユーザーっていうやつ」

包みをピッと切って、中身を見せてくれた。

「へー……指サックみたい」

こんなのあるんだ。知らなかった。

「えっ、だったら絢、毎回それ持ってきてたの⁉」

「まあ、念のため。エチケットだし。……なんで両手で顔をおおうの？」

ひゃー。

「だ、だって絢、一応、あたしのことを考えてくれたんだなあ、って。なんだ、絢ってば。あたしにいろいろ言っておきながら、ちゃんとヴァージンもらってくれる気でいたんじゃん。早く言ってよ、そしたらゴムなんて買わずに済んだのにさあ」

「…………」

絢は無言で、出したフィンドムをゴミ箱にポイしたから、その手首をガッシと摑む。

「なんで⁉」

「……鞠佳は、自分をたいせつにすること」

「大切にしてるから、絢に言ってるんじゃん！　それとも前にされたハメ撮りは大切にされてるうちのひとつなんでしょうかねえ⁉」

叫んですぐ、絢はあたしの頰《ほお》に手を当てて、キスをしてきた。

ちゅる、ちゅると舌を絡《から》め取られる。絢の柔らかな舌が口内に入り込んでくると、さっきまでそれがあたしの大事な部分を舐めてたのが気にならないぐらい、麻酔を注入されてるように頭がぼーっとしてくる。

「ん、ふぁ……。って、ち、違う、そうじゃなくて……」

鼻と鼻を突き合わせながら、絢の瞳を覗き込む。

ドアップで飛び込んでくる不破絢の顔面の綺麗《きれい》さに、意気をくじかれながらも。

「あ、あたしが絢にしてほしくて……」

「だから、いまからしてあげるでしょ」

「そうじゃなくてぇ！」

絢の微笑みがかぶさってくる。あたしは両手をばたつかせながら彼女になんとか気持ちを伝えようとがんばるんだけど、無駄な抵抗。

結局、押し倒されて……たっぷりときもちよくさせられてしまったのだった。

あんなに恥ずかしい思いをしてまでゴム買ったのに！　まーたうやむやにされたー！

絢を駅に送り届けた後、あたしはシャワーを浴びてから、スマホをもってベッドに寝転んでた。

ううむ、やっぱり絢は手強《てごわ》い……。

また次の作戦を考えなければ。

それはそうと、興味本位でサイトを閲覧してると、どうやらフィンドムの他に、オーラルセックス用のゴム、デンタルダムとかもあるみたいだ。

へー、女性同士でするときにも、いろいろあるんだなあ……。

最近、こんな記事ばっかり見てるから、どんどん知識がたまってゆく。

仕方ない。人は悩むと検索してしまう生き物だから……。

そのままスマホをぽちぽちしてると、いつのまにか大人のおもちゃのコーナーに行き着いてしまった。別に意図したわけじゃないけど、こう、自然にね、自然に。

男性のあれそれを模したようなおもちゃが、いっぱい並んでる……。

「でも、これで卒業するのはなあ……」

絢がディルドを持って、ぐいっと突き入れてくるのを想像する。どんなにヌルヌルにされてても、うわ、痛そう……って思っちゃう。

「それだったら指のほうがいいなあ……」

いつもきれいな絢の中指や人差し指があたしの中に入ってくるのは、なんだかこう、ガマンできなくて声漏《も》れちゃいそうなほど、きもちよさそうなのに。

「ん……ん⁉」

な、なんだこれ……。

ハーネスに、ディルドがくっついているグッズがある……。

「……え、なにこれ、やば」

ペニスバンドと書いてあるそれは、女の子がパートナーに挿入するために使うものらしい。

「がちなやつじゃん……」

もわもわもわとピンク色の雲が広がって、その中に絢がペニスバンドを身につけて立って、腰に手を当てている姿が浮かぶ。

なんだか……微妙な感じだ。

たぶんシチュエーションがよくないんだろう。

じゃあ、寝そべって足を広げたあたしの上に、ペニスバンドをつけた絢が覆いかぶさってくるのは？

絢の顔が近くにあって、彼女は笑みを浮かべながらあたしにささやきかける。

『ね、鞠佳……いっぱい、きもちよくしてあげるね……』って。

それから腰を動かしてきて……。

ううむ……審議中。

……悪くない、かな！　いやどうだろ、わかんない！

とりあえず、心の片隅に置きつつ……スマホを操作してると、ぴょこんとＬＩＮＥがきた。

おおっと、悠愛からだ。

『ちょっと相談にのって！　バレンタインデーの！』

バレンタインデー。

うーん、悠愛には悪いけど、今それどころじゃないんだよねえ。

中学時代を思い出す。男子女子に愛想よくチョコを振る舞ってちやほやされてた頃なんて、遠い昔のようだ。

好きな男子と甘いやり取りなんてしたことないし。あたしにとってバレンタインデーは、友チョコを配ったり、お父さんにチョコレートをあげてホワイトデーにちょっと多めのお小遣《こづか》いをもらうだけの日だから、印象が薄いんだよなあ。

今年は絢に本命チョコプレゼントして、終わるだけのつもり。

だったんだけど……。

いや、待てよ。

「そうか、バレンタインデー……バ、バレンタ、イ、インデ、ー、使えそう！」

あたしは悠愛からのメッセージを既読スルーしたまま、天井《てんじょう》を仰《あお》いだ。

バレンタインなんて、クリスマスと並んだ愛の告白行事じゃん！

「……よし、よしよし」

絢は相変わらず慎重だから、なにかきっかけがないとはぐらかしてばっかり。

あたしをお姫様みたいに大事にしすぎて一線を越えてくれないんだったら、そのきっかけをこっちからあげればいいんだ。

バレンタインデーにチョコをプレゼントしてさ。

こう、熱烈な愛の告白なんかしちゃったりして。

あたしは普段の三倍増しのかわいい姿を披露しちゃうわけ。そしたら絢なんて簡単に感極《かんきわ》まっちゃって……あたしのことを激しく求めてきて！

あたしは絢にたっぷりと愛され尽くされ、そのまま処女《しょじょ》を卒業する……という流れだ。

「え、いいじゃん……」

枕《まくら》を抱いたまま、あたしはため息まじりにつぶやく。

「カンペキすぎるのでは……」

絢め。

あたしのことをさんざんえちえち言いやがって。

だったら！　その最大限のパワーで挑発してやるんだからね！

バレンタインデーまで、残り約二週間。

ふふ、絢の理性が勝つか、あたしのプランが勝つか……勝負だ！

第一章

ARIOTO
onnadoushitoka ARIENAIDESYO to iiharuonnanoko wo hyakunichikan de TETTEITEKINI otosu yuri no ohanashi

朝の通学路を、太いボルドーのマフラーで耐え忍びながらクラスに到着。先に来てた悠愛《ゆめ》や知沙希《ちさき》、絢《あや》に「おはよー」と鼻をすすりながら挨拶《あいさつ》をした。

「まりかって、寒がりだよねー」

朝から元気な風の子、悠愛が笑いながら迎え入れてくれる。あたしは軽くポーズなんかを取りながら。

「まあね、脂肪がないからかな」

「なるほどぉ～、ならば確かめてみようじゃありませんか～」

「やめ！」

わきわきと手を動かしてくる容赦のない悠愛から避難し、絢の後ろに隠れる。

「絢、あいつ投げて！　うぐっ」

絢に思いっきり脇腹《わきばら》をつままれた。突然の裏切り！

「な、なにすんの⁉」

「うん、ないね脂肪。さすが自己管理ばっちり。ベストプロポーションだよ、鞠佳《まりか》」

「うっさい！　あるわ脂肪！」

度が過ぎた褒《ほ》め殺しは、完全にそーゆーイジりでしかなかった。おそらく本気で言ってくれてる辺り、さらにタチが悪い。

「知沙希もウケすぎだから！」

「ああ、ごめんな、脂肪あるなんて叫《さけ》ばせちゃって。つらかったよな、マリ。ごめんな」

「ちゃんとした謝罪やめい！」

ひとしきりグループのオモチャになった後、自分の席へと向かう。あ、教室の奥、エアコンが効いててあったかい……。

しかし、絢が馴染《なじ》んできたのは嬉《うれ》しいけど、グループにいるとモロにあたしの弱点になっちゃうからなー……。学校は学校で、もっとちゃんと顔を使い分けないと……、ていうか絢が学校でも隙《すき》あらばのろけようとしてくるのが悪い。なんだよベストプロポーションって。あたしが笑いに変えなきゃ、照れちゃうだろ。あたしが照れちゃったら、ヘンな空気になっちゃうだろ！

まったくもー、まったくもー。

チラチラと絢を盗み見てると、視界に割り込む影があった。

「お？」

「おはよ、榊原《さかきばら》！」

「夏海《なつみ》ちゃん、おはよ」

同じクラスの伊藤《いとう》夏海だ。

夏海ちゃんは、あたしとはグループこそ違うけれど、割とよく話す仲だったりする。

バドミントン部キャプテンかつ、クラス委員長をしてる優等生の女の子。場を仕切る子特有の行動力と強引さを、タピオカに含まれるカロリー分ぐらいもってる。

まさに絵に描いたような体育会系女子であり、それでも人に嫌われにくい辺りが夏海ちゃんの立ち回りのうまいところ。天性の愛嬌《あいきょう》もあるんだろうなーって感じ。

強靭《きょうじん》な鋼《はがね》メンタルと元気スマイルで、あちこちに賑《にぎ》やかを振《ふ》り撒《ま》いてる子だ。

「榊原、きょうも朝からかわいいね！　ってわけで、あとで時間ある？」

「ノルマみたいに褒めてくるんじゃない」

「え、うわ……なにこの美少女……46億年にひとりの才能……！　人類有史以来、こんなにかわいい子初めて見た……。きょうから世界三大美女の称号は、世界唯一美少女の榊原が独占間違いなし……。で、あとで時間ある？」

「うるさいな⁉」

きょうはハチャメチャにいじられる日らしい。

叫んでから、あたしは机に頬杖《ほおづえ》をつく。

「あとで時間ね。はいはい、別に大丈夫だけど、なに？」

「ええー？　それはここでは言えませんなあ〜〜！」

「だったらお昼休みとか」

「ではそれで！　私と榊原、ふたりっきりのときに……ね！」

ばっちーん！　とウィンクを残して、夏海ちゃんは颯爽《さっそう》と去っていった。ハリケーンみたいな子だった。

高い位置で結んだ揺れるポニテを見送って、あたしは首を傾《かし》げる。

はて、ナイショ話か。なんだろ。

人から相談事をもちかけられることには慣れてるので、それは別にいいんだけど……夏海ちゃんってだいたいなんでもひとりで解決できそうだから、人に相談するイメージあんまないんだよね。

クラスのことか、部活のことか。人手が足りないからバド部の助っ人《すけと》に来てよ、とかだったら困るなあ。

あたしはきょうから難攻不落の要塞である、不破絢《ふわ》の攻略に乗り出さなくちゃいけないんだから……。

お昼休み。ごはんを食べ終わったあたしは、お弁当を片付けて席を立つ。

「ちょっと用事」

「いってらー」と悠愛と知沙希に手を振られる。いつもはなんとも思わない絢の視線を、なぜかチクチクと背中に感じてしまう。

それはせいぜい『どこいくんだろ?』ぐらいの温度感なのに、きょうは『どこいくの? 鞠佳』と問いただされてるような気になった。

いや、夏海ちゃんの相談をね……。って別に恋人だからって、行っていいですか? なんていちいちお伺《うかが》いを立てたりしないし! 告白されるんじゃあるまいし。

これはただあたしが過敏になってるだけ。絢も学校でのあたしの行動に目くじら立てたりしないから。適切な距離感を保ってるんだから。

というわけで、あたしはなんの後ろめたさもなく、夏海ちゃんと図書館に向かうことにした。この季節、暖房が入ってない廊下で立ち話とか正直、完全装備でもないと五分ももたないからね……。

立ち話のために図書室に来るのも、なんか特定の人の信仰に引っかかりそうだけど、書架の隅っこでやるから、許してほしい。

あっ、でも夏海ちゃんの大声じゃ意味ないじゃん!? って思ったけど、端っこに到着するなり、普段の元気いっぱいな姿からは想像もつかないような細い声をあげてきた。

「あのさ……。榊原って、こう、すごく、女の子って感じじゃありませんか～……」

もじもじと胸の前で指を絡《から》める夏海ちゃん。

「え、そんなテンションの内容？　大丈夫かなあたしで」

あたしより背の高い夏海ちゃんは、ふわふわの毛皮をもつイヌが濡《ぬ》れちゃったあとの姿みたいに縮こまってた。

「確かに、あたしが女の子であることは間違いないけども」

深刻な相談事だったらどうしよ。聞くだけ聞くけど、力になれるかな。

「実は、実はさぁ……私的にさぁ……そのぉ……」

いじいじしてた夏海ちゃんに、バッと睨《にら》むように見つめられる。

「榊原、誰《だれ》にも言わないでね⁉」

「言わないけど、聞かれたくないならもうちょっと声をひそめたほうが」

「そうだね～～～！」

思いっきり拳《こぶし》を握りながらブンブンとうなずく夏海ちゃん。その顔がトマトみたいに赤くなってゆく。

ピンときた。女の子のカンだ。

これはもしかして。

女の子が恥《は》ずかしがりながら相談することなんて、ひとつしかない。

「あのですね……私、好きな人が、できたんですよ～……」

「おおー……！」

やはりの恋愛相談だった。

身勝手にワクワクしてくる。

そりゃ夏海ちゃんは美人だし、目立つから、他校生に告白されたりすることだってよくあるだろう。けど、夏海ちゃん側から好きな人ができるとは。なかなかの事件じゃありませんか。

あたしはつい夏海ちゃんの手を握ってしまった。

「詳《くわ》しく詳しく」

「うひひ……」

テンションがバグった夏海ちゃんの笑い声は、なんだかキモい。

「えー、どんな子どんな子？　今まで恋とかぜんぜん興味なさそうだったのに」

せっつくと、夏海ちゃんはいつになく恥ずかしそうに。

「いやー気づいちゃったっていうか？　今までずっと恋愛対象外だったはずなのに、朝起きると急に意識しちゃってたっていうか～」

「そういうのあるよね、わかるわかる」

背の高い元気な子が、ちっちゃくなっちゃってるこのギャップ。

夏海ちゃんかわいい。夏海ちゃんこそすごく女の子じゃん。

「実はー、あのー、後輩でー……」

「ふんふん」

「どっちかというとかわいい系っていうか、小動物的っていうかー……その、なんていうか……」

「おー」

恥ずかしがるだけじゃなくて、なんだか言いづらそうにしてる夏海ちゃんを見て、ひょっとしてと思う。

突っ込んで聞いていいかどうか一瞬だけ迷ったものの……。こういうのは、あえてこっちから話を振ってあげたほうが言いやすかったりするのかもしれない。

ので、尋ねてみた。

「もしかして、女の子?」

次の瞬間、体育会系女子の夏海ちゃんは、ピッカーンと顔を輝かせた。

「えっ、やだ、榊原わかっちゃうの⁉　なんで⁉　天才じゃん～～!」

「いやー……こういう相談事も受けたことがあるから、かなー」

なかなか『実体験です』とは言えないあたしがいてですね。ついつい罪悪感から目をそらしちゃうね。

夏海ちゃんは摑《つか》んだあたしの手をブンブンと振りながら。

「榊原ってば、やっぱり人生経験豊富だな～～……。同い年なのに、一歩も二歩も先いってるっていうか、私なんて元気と体力だけが取り柄《え》なのにさ～～」

「べ、別に、それは人それぞれだし、いいんじゃないの？　その元気と体力に助けられてる人だって、周りにはたくさんいるんでしょ」

「ほらさぁ、そういう視点の高さ？　っていうの？　自分がしっかりあるから、そこを軸《じく》にして他人も見ることができるっていうか、羨《うらや》まし〜〜」

「あたしの話じゃなくて、今は夏海ちゃんの話！」

べしと手を振り払う。

夏海ちゃんはよろけてみせた後に、本棚に手をついて顔をうつむかせた。

「でまあ、相手は女の子じゃん？　しかも部内の後輩じゃん？　でも恋心は抑えきれないわけじゃん？」

ちらりとあたしを見て、ぬふっ、と口の端を吊《つ》り上《あ》げる。

「どんな恋愛のマニュアル読んでも、女の子相手にこう口説《くど》け、みたいなのなくてさ。だったら当たって砕けよう！　一直線に獅子奮迅《ししふんじん》！　とか思うのがいつもの私的なアプローチなんだけど」

へにょりと肩を落とす。

「だったらバレンタインも近いし、せめてタイミングはそれっぽくしようかな、って」

「なるほど。で、相手はどんな子？」

「えっ、それ聞いちゃう!?」

「言いたくないならいいよいいよ、ぜんぜん」

「仕方ないな～！　教えちゃう！」

「なんだこいつ！」

肩に腕を回してきて、自撮りするみたいにスマホを見せてくる夏海ちゃん。

部活動のときに撮ったと思われる画像には、ラケットを片手に笑顔でピースするボブカットの女の子が写ってた。

「あ、この子」

「晴《はる》のことも知ってるの⁉　榊原に知らないことないの⁉」

「いや、そういうんじゃなくて。ほら、よくあんた呼びに教室来たりするじゃん」

「確かに！」

うるさ。耳元で叫んでくる夏海ちゃんを押しのける。

夏海ちゃんは両手で持ったスマホを覗《のぞ》き込みながら、デレデレの笑顔を浮かべてた。

「祝嶺《しゅくみね》晴ちゃんっていうんだ～……。すっごくかわいくて、私的に最推《さいお》しの子で、なんか四六時中この子のことばっかり考えちゃって～～！」

頭を抱えて悶《もだ》える夏海ちゃんに、ははは と笑う。

「めちゃくちゃ恋してるじゃん」

「だよね⁉」

その言葉に、夏海ちゃんは異常な食いつきをみせてきた。

急に抱きしめられる。暑苦しい！

「やっぱりそうだよね⁉　これ恋だよね〜〜！」

「ええ？」

「私的に、どうなんだろ〜違うのかなあ〜でも相手女の子だしなあ〜〜って眠れぬ夜を過ごしながら休み時間ぐっすり寝ちゃってたから、けっこう不安でさ〜〜」

戸惑いながらも、背中をぽんぽんと叩《たた》いてあげる。

「はいはい、恋だよ恋。なんでも知ってる榊原鞠佳が、断言してあげるよ」

「友達にこんなこと思ったり、今までなかったし、なんなんだろ〜〜ってずっと悩んでたんだよね〜〜！　もしかして私ヘンになっちゃった⁉　みたいなさ〜〜」

うわーん、って鳴き声をあげられた。

でも、ちょっとわかるよ。

他の人と違う自分のこと、おかしいんじゃない？　みたいな不安。

あたしたちって、オシャレひとつ取っても人と違うことするのに勇気いる時期なんだから、それが誰にも言えない恋とかになると、もうどうしようもなくなっちゃうよね。

女の子に恋する女の子って、あたしの周りは妙にたくさんいるけど、でも一般的にはまだまだ圧倒的少数派っていうか、そういう感じだし。

他の人なんて関係ない！　自分は自分の道を行くんだ！　なんて普通はできないよね。みんなが絢みたいにはなれないんだから。

ひとしきり慰めてから離れると、なんと夏海ちゃんはマジ泣きしてた。おわ。

「ありがとぉ、榊原〜……私、恋してたんだ〜……」

ハンカチを目に当てて、ぐしぐしと涙を拭《ぬぐ》う夏海ちゃん。

安心したのか、張り詰めてた糸が切れたのか。鋼メンタルだとばっかり思ってた彼女の意外な一面に、あたしのほうが慌ててしまう。

もっと誰もいない場所を選べばよかった。泣いてる夏海ちゃんが見られないように、壁を作りつつ。

「な、夏海ちゃん、よしよし、よしよし……すぐには難しいかもだけど、ほら、落ち着いて」

「うん、落ち着いた！」

「感情がバカになってんのか⁉」

カラッと笑う夏海ちゃんに、思わず怒鳴る。しんみりして損した！

おまけに、周囲に気を配ることもすっかり忘れてた。

これ、誰かに聞かれでもしてたら。

「……ふっふっふっふ……」

思った矢先、怪しげな笑い声が聞こえてくる。

振り返ると、本棚の影にひとりの女の子がいて、監視カメラみたいに目を光らせてた。ギョッとする。

「話は聞かせてもらった……。ようするに、バレンタインデーだからコクっちゃおうっていう話だね……それすっごくナイスアイデア……」

「だ、誰だ⁉」

叫ぶ夏海ちゃん。

ならばあたしも、と。

「お、おまえは……三峰《みつみね》悠愛⁉」

鞠佳グループの天然担当、ちっちゃくてどことなくコーギー犬っぽい悠愛だ。

盗み聞きを悪びれもせず近くにやってきた悠愛は、ふふふと指を振る。

「だけどお嬢さん、なにか忘れていませんか。そう、ただ告白するよりも、そこにとあるものを添えることによって、さらに告白が最高になる甘味があるってことを」

「えっ、まさか……ぽたぽた焼……⁉」

「おばあちゃんっ子アピール⁉　じゃなくて、チョコレートだよ、手作りチョコレート！　愛をたっぷり込めたやつ！」

悠愛の言葉に、夏海ちゃんは仰天《ぎょうてん》する。

「てづくりちょこれーと……？　フランスで三十年修業したプロのパティシエだけが作れる、

あの……？」

「そう、そしてキミの前に立っているのが、三十年修業したプロのパティシエである！」

「料理長〜〜〜！」

なんだこのショートコント。

悠愛は偉そうに腕組みしたまま、にやりと笑う。

「もしキミにやる気があるなら、あたしのすべてを教えてあげてもいいのだよ！」

「そ、それって……私も手作りチョコレートを手作りできるってことですか!?　得意料理はカップラーメンと卵かけごはんの私でも!?」

「だいじょーぶ！　手作りチョコはすっごく簡単だから！　溶かして、また固めるだけ！　実質、工作みたいなものだよ！」

「えっ、ほんとに？　じゃあ、私にもできそう……私が、手作りチョコ……えっ、作ってみたいです！　料理長！」

「ついてこれるかな！　あたしは厳《きび》しいぞ！」

「どのくらい？」

口を挟む。

悠愛は「うーん」と考えてから、答えてくる。

「毎日の宿題を……代わりにしてくれるのなら……的な」

「それは自分でやれ」

「じゃあいいです！　自分たちでがんばります、料理長！」

「なん……だって……」

裏切られた料理長は、愕然《がくぜん》としてた。

悠愛がすがりついてくる。凋落《ちょうらく》の料理長だった。

「やだー！　あたしも交ぜてよー！　チョコレートみたいに！　あっ、いや、生クリームみたいに！」

「別にうまくない」

「生チョコはおいしいのにぃ～？」

「うっとうしいな！」

身をすり寄せてくる悠愛を、いろんな意味で突き放す。

このままだと悠愛がボケ倒してる間にバレンタインデー当日がやってきちゃいそうなので、代わってあたしが夏海ちゃんに説明する。

「てかね、もともとあたしと悠愛は、一緒にチョコ作ろうって話してたんだ」

うんうんうんうん、と必死にうなずく悠愛。

昨夜、悠愛から届いたメッセージは『ここいらで知沙希《ちー》ちゃんに、いっちょいいところを見せたいから、バレンタインのチョコ作りしよーぜ！』というお誘いだった。

あたしの返信はもちろんＯＫ。

なんせ悠愛はこう見えて、お菓子《かし》作りのプロフェッショナル。食べるのも作るのも好きで、よくインスタに画像をアップしてる。

料理長が手伝ってくれるなら、鬼に金棒。自撮りに盛りアプリって感じ。

夏海ちゃんが「おわー！」と声をあげる。なに、おわーって。

「そこにド素人《しろうと》が交ぜてもらっても大丈夫なんですか⁉」

「あたしはフランスで修業したことないし」

悠愛が目をそらしながら「いや、実はあたしもナイんですが……」と白状した。知ってるから。

にっこりと、夏海ちゃんに笑いかける。

「夏海ちゃんと同じ素人だからねー。素人同士、悠愛に教わりながらがんばろうよ。夏海ちゃんが一緒なら、あたしも心強いな」

「優しすぎ、かわいすぎ……天使かよ、榊原……」

急に感極《かんきわ》まった声を出す夏海ちゃん。拝《おが》まれた。

「それに、チョコレート作りはひとりよりふたり、ふたりより三人でやったほうが楽しそうだしね」

「それは間違いない！」

悠愛が強く断言する。

夏海ちゃんはあたしと悠愛を交互に見やって、それから大きく頭を下げた。

「ならば、お世話になります！　先輩方！　押忍《おす》！」

体育会系らしい、気持ちのいい挨拶だった。

ぱんぱかぱーん、伊藤夏海が仲間に加わった！

「よーし、だったら」

悠愛が代表して、手のひらを前に突き出してくる。

「バレンタインデー同盟、結成だね！」

夏海ちゃんは後輩に告白を。

悠愛はカノジョに日頃《ひごろ》の感謝を。

そしてあたしは、絢に誘惑を。

それぞれの目的のために！

手のひらに手のひらを重ねて、あたしたちは「おー！」と声をあげた。

というわけで……あたしたちはさんざん騒がしくしてしまった図書室を、周りの生徒たちに平謝りしながら出ていったのだった。

やっぱりこうなっちゃった！

「で、こうなるわけね」

学校帰り。あたしたち三人は、夏海ちゃん家のキッチンに集合してた。

広々としたカウンターキッチンだ。ダイニングもきれいで、そのまんまお料理教室が開けそうなぐらい立派。夏海ちゃんち、めちゃくちゃでかいな！

なるほど、こんな家に住んでるから、声も大きくなるのか……なるのか？

「キッチン貸してくれてありがとうね、夏海ちゃん」

「お安い御用！　それじゃあ、よろしくお願いします料理長〜〜！」

エプロンを装着し、髪を三角巾《さんかくきん》で止め、食堂のおばちゃんみたいな格好で頭を下げる夏海ちゃん。やる気がほとばしってる。

一方、髪だけまとめた悠愛は、ふふふと不敵な笑みを浮かべる。

「あたしに任せなさい。勉強はからっきしだけど、お菓子作りだけは子どもの頃からやってるからね。特にバレンタインデーには、思い入れも人一倍。やっぱり告白するならバレンタインデーに限ります。あたしも今回のバレンタインデーに懸けてるんだから！」

確かに悠愛の腕前なら、バレンタインのたびに喜ばれてきたに違いない。恋愛体質の悠愛にはきっと、いろんなドラマがあったんだろう。

「チョコレート作りの秘訣《ひけつ》……それは愛だよ！」

「愛！」

夏海ちゃんは、ががーんと衝撃を受けたようにのけぞる。

「ってことは待ってください、先生……。もしかして先生のお菓子作りがうまいのって、愛がドバーッとあふれてるから……？」

「そのとおり！」

「だったら……私もすでにプロ級……!?」

「ふふふふ、おぬしに教えることはもうなにもないのじゃ……」

楽しそうなふたりを横目に、あたしは買ってきた材料をテーブルの上に並べてゆく。

板チョコに、生クリーム、ココアパウダー、デコレーション用のトッピング材を少々。チョコ作りの器具は夏海ちゃんちにあるものを使用させてもらうことになった。

あたしもふたつ結びの髪をパチンと髪ゴムでまとめて「それで」と話を進める。

「どんなの作る？」

「最高なやつ！」

「いぇい！　サイコーなの作ろ！」

「おっけー！　て、おい」

ふたりがふざけ倒すから、きょうはあたしがツッコミだ。

「とりあえず、あたしが中級者、悠愛が上級者、そして夏海ちゃんが初級者っていう感じみたいだからさ、先に どんなの作るか選ぼうよ。ほれほれ、おいでおいで」

「わん！」

「ワンワン！　ワーン！」

「うっとうしいなあ！」

ちっこい犬とでかい犬に両側から挟まれつつ、三人でスマホを覗き込む。

お菓子メーカーのサイトでは、難易度別にさまざまなチョコレートのレシピが表示されてて、すっごくわかりやすかった。

あたしこれ私的にこれが！　なんてワイワイ言い合いながら、それぞれ作るチョコレートを決めてゆく。

「夏海ちゃんは、ハートの型抜きチョコとかどうかな？　シンプルだけどやばかわいくない？」

「いいかもいいかも、初心者向けだしおいしそう！　あ、でも作ったっぽさを出すなら、こっちのチョコレートタルトとかよさげじゃない？」

「わ、かわいい！　どっちもすごくかわいいなあ～！　くぅ女の子っぽ～～！」

なんだその叫び。夏海ちゃんは女の子っぽいことに憧《あこが》れでもあるんだろうか。

と、一通り騒ぎながらも、それぞれ作るものは決まった。

あたしはプチトリュフのチョコレートで、デコりがいがありそうなやつ。

夏海ちゃんはチョコレートタルトにして、悠愛はなんとマカロンに挑戦するらしい。すごい、マカロンって家でも作れるんだ。

「わー……でもこれ、手間すごそう」

「よゆうよゆう、愛の力でいける」

「愛ってすげ〜〜〜！」

かくして、夏海ちゃんは愛のすごさを知ったのだった……。

と、夏海ちゃんの部活終わりを待ってのスタートだったため、この日はメニューを決めて、手順を確認するだけで外が暗くなってしまった。

けっこう効率よくやってかないと、チョコ作るところまで行かないなーこれ。

だから君たち、脱線はほどほどにね！　次からホイッスル持ってってやろうかしら。


チョコレート諸々《もろもろ》を夏海ちゃんちに預けて、また今度ねー、と解散。続きの日程はＬＩＮＥグループ『バレンタインデー同盟』で打ち合わせることになった。

バレンタインデーまであと二週間。

生クリームの賞味期限もあるし、次の回はなるべく間を空けずに集まって、と。せめてあと二回は集合して、実際に完成品を作るところまでやりたいな。

「うへえ、さむう……」

駅までの道を、身を縮こませながらひょこひょことペンギンみたいに歩く。ポケットのカイ口はとっくに効果切れだけど、往生際《おうじょうぎわ》悪くにぎにぎしてみる。寒い……。

「悠愛もよくそんな薄着で平気だよね……」

　横を歩く悠愛は、制服の上をパーカー一枚でがんばってる。ちびっこだから体温が高くて寒さを感じないんだな。

「まりかが寒がりなだけっしょ。鼻の頭真《ま》っ赤《か》になってるの、うける」

「まじ？　恥ずかし……。やっぱ冬はマスク必須……」

　マフラーをぐいとあげて、顔の下半分を隠す。メイク崩れとか言ってる場合じゃない。ちくちくとした毛がこそばゆい。

「にしてもなっつん、やる気満々だったねえ」

「初めてチョコレート作るって言ってたもんね」

「楽しそうななっつん、かわいかった」

「わかる。かわいい。幼稚園児みたいだった」

　くすりとした。

「手順についてとかは、料理長の悠愛がいてくれるから、なんの心配もいらないしね。実際、助かります。まじ」

「ま、バレンタインデーなら悠愛ちゃんの出番だからね。てか、まりかこそ、付き合ってくれてありがと」

「いやいや、あたしも今年は手作りの気分だったから」

「初めてのカノジョだもんねえ？」

「ははは、そりゃ気合いの入り方が違うってもんだよ」

照れ隠しに笑い声をあげる。実際その通り。

もっと大きな理由も、他にあるんだけどね……。

はー、さむさむ。

「あのさあ、まりかあ」

「んー？」

「ちょっと聞いてくれる？」

「なんでしょ」

わざわざどうしたどうした。

「最近の知沙希さん、返信とか遅いんだよねえ」

「……んん？」

愚痴か？　それにしては、なんかトーンがやたら暗いっていうか。

悠愛を見ると、財布を落としたのかってぐらい、めちゃくちゃ凹んだ顔をしてた。

急に⁉

「ど、どうしたの？　ふたりとも学校でいつもどおりじゃん！」

もちろん知沙希とはきょうも話したし、悠愛だって仲良さそうにニコニコしてた。絢は立ち絵のバリエーションのないソシャゲキャラみたいに表情固定だった。

悠愛が儚《はかな》げに微笑《ほほえ》む。

「具体的になにかがあった、ってわけじゃないんだけど」

「う、うん」

「でも、一年近く付き合っているし、そろそろ倦怠期《けんたいき》なのかなあって……」

「だ、大丈夫だって。知沙希は昔から返信いつもトロいじゃん。あいつぜんぜんスマホ見てないんだから。あたしにだってすごい遅いよ」

「えー？　そっかぁ。そうかなあ？」

畳《たた》み掛けるように何度もうなずく。

「そうそう、そうだよ。絢とかもＬＩＮＥほんと見ないからね。毎日おやすみメッセージが来るぐらいだよ。あの子ほんとメンドくさがりでさ。『ちゃんと反応してよー！』って、言っても言っても直らないから、もう諦《あきら》めちゃった」

「あはは、そうなんだ。でも、あややだったら、なんからしいかも」

悠愛が笑みを見せたことにホッとしつつ、あたしは自分の悩みも口に出そうとして。

「それに、あたしがどんなに言っても、お願いごとをぜんぜん聞いてくれないしさー」

……はたと止まった。

うん？　とこっちを見てくる悠愛。

……いや、処女《しょじょ》をもらってほしいのに、一向にしてくれないんだよね、って。

言える？　悠愛ケアの流れで。さすがにありえなくない？

あたしは真剣に悩んでるんだけど、ただののろけじゃん！

「ま、まあ！　どこにでもそういう悩みってあるもんだよ！　愚痴りたいときは、いつでも付き合うからさ！」

なんて風に一般論でごまかすと、悠愛はさっぱりとした笑顔を見せた。

「そうだよねえ」

「うんうん。チョコ作って、がっちりハートを摑んじゃお。知沙希はあんなんでも、なんだかんだ悠愛一筋だよ」

よかったよかった。これで悠愛の気分も上向きに……。

「なんか、クリスマス会で会った金髪のめっっっちゃかわいい子と、よくＬＩＮＥしてるみたいだけど！　関係ないよねー！」

やばい。

あたしは作り笑いを保ったまま、見えないところに冷や汗をかいた。

友達同士がそんな状況になってたなんて、ぜんぜん知らなかった。

アスタロッテ……アスタロッテぇ……。

「だから、あいつがさぁ！」

通話口にモヤモヤを吐き出すけれど、電波先の相手はあまりにも正論だった。

『浮気《うわき》しているんだったら、わるいのは松川《まつかわ》だよ。アスタに責任を追及するのはお門違いだから』

「それは……そうかもだけど」

お風呂《ふろ》あがりで生乾きの髪を指で撫《な》でつけながら、言葉を呑《の》み込む。

自宅についたあたしは、晩ごはんを食べてお風呂に入った後、悠愛と知沙希の件を絢に相談してた。

「でもせめて、アスタが要注意人物、ってことぐらいは教えておいたほうがよかったなあ、って……」

『いまから言うのは』

「なんか、やぶ蛇《へび》になりそ……。悠愛にも聞かせたくないし……」

あたしはおっきなため息をつく。

知沙希のことは信じてるけど、でもあの性格だ。

こないだもお腹いっぱいになったからって、食べかけのデザートを悠愛に押しつけてたし。

飽きた瞬間にあっさりと女を乗り換えそうなイメージもある……。

イメージ！　あくまでもイメージね！　信じているからな知沙希！

最近、しょっちゅう絢がうちに遊びに来てくれるからか、ひとりの部屋はなんとなくがらんとして心細くなる。おかげで電話の頻度も増えちゃってたり。

『アスタの肩をもってるわけじゃないけどね。でも付き合ったり、別れたりなんて、どこにでもある話だよ。女の子同士だからこれは真実の愛、だとか、いつまでも一緒にいられるだなんて、かんちがい』

「それは……」

あたしはクッションを抱いたまま、思わず黙り込む。

絢の厳しめな物言いが、気になってしまった。

ひょっとして、絢って、あたしとのこともそんな風に考えてるんだろうか。

いつか別れると思ってるから、あたしを傷つけないように、深く立ち入らないようにしてるんだろうか。

だったらそれは……なんか、すごいヤだなあ、って思った。

「なんでそういうこと言うの」

『事実だから』

きっと絢は、さんざん仕事先のバーで、そういう光景を見てきたんだろうけどさ。

「わかんないじゃん。知沙希と悠愛には、幸せになってほしいって思ってるし……それに、あたしは絢といつまでも一緒にいたいよ」

その言葉に、絢はちょっとだけ躊躇《ちゅうちょ》したように口ごもった。

『……それは、私も』

うっ……かわいい。

「だ、だったら、一緒にいようよ。ふたりの想《おも》いがあれば、大丈夫だよ！」

念を押すと、絢はグラスに注《そそ》いだ水がこぼれるみたいに。

『……鞠佳のこと、だいすき』

急に感極まった声を出してくるから、思わずきゅんきゅんしちゃったじゃん！

「な、なに？　どしたの？」

『ううん。ちょっと好きがあふれちゃって』

「そ、そっか。急にあふれるとびっくりしちゃうから、気をつけてね、うん」

照れてると、電話から絢の優しい声が耳朶《じだ》に滑り込んでくる。まるで背筋をそのまま指でくすぐられているような、甘い音色《ねいろ》。

『私は、鞠佳がどんな決断をしても、だれをえらんでも、ずっと鞠佳のことが好きだよ。あいしているからね』

なんかところどころ引っかかる言い方だけど……。

「だったら、あたしたち十年も二十年もその先も、ずーっとラブラブってことだね！」

自信満々に言い切ったら、それに対する同意の言葉はなかった。こいつめ。

今は別に、いいけどさ、バレンタインを見てろよ、この。この。

頑固な絢は、ふと話題を変えてきた。

『そういえばきょうは、伊藤夏海の家にいってきたの？』

なんで人を呼ぶときにフルネームなの。こわいんだけど。

「う、うん。あ、でもふたりきりじゃないよ。悠愛も一緒だよ」

『ふうん』

「なになにー？　一緒に来れなくて寂《さび》しかったのー？」

からかうみたいに笑う。

『ううん』

「意地っ張りさんめー」

『そのメンバーだったら、バレンタインデーのチョコを作っていたんだろうから。きっと私はお呼ばれされなかったと思うし』

「……ソレハドウカナ」

なんなのこの子、カンが鋭すぎでしょ。

当日まではサプライズにしておきたいんだってば……。

「あのー、絢さん……」

『いいよ、べつに。鞠佳が私に隠しごとしてても、つっこんで聞いたりしないから』

「絢が物分かりいいと、逆に怖いっていうか」

『私はそんなに重い女じゃないしね』

「百万円であたしの百日間を買ったくせに⁉」

『ふつうだよ、ふつう』

「可憐《かれん》さんの言ってた、夜のお店に来る人の普通、ってやつじゃん……」

絢の自己認識、バグってる。

『だから、そのかわり』

「やっぱりそういうのあるんじゃん⁉」

『ちがうよ。鞠佳が罪悪感あるみたいだから、かるくするためのお手伝いをしてあげるんだよ』

「そっか……優しいね、絢……」

とは言いつつ、電話越しなのでやれることも限られてる。絢が目の前に突如現れて、あたしの身体を好き放題することもできないんだし。

それは絢もわかってるみたいで。

『愛してるゲーム、やろうよ』

そんな提案をされた。

ユーチューブとかで見たことがあるゲームだ。ルールはポッキーゲームみたいに、あまりにも単純なパーティーゲーム。

「……それって、交互に愛してるって言い合うやつ？」

『うん』

「あれ、勝ち負けとかあるんだっけ」

『照れて笑っちゃったら負けだったような』

あたしはちょっと悩みつつも「うん」とうなずいた。そりゃ恥ずかしいけど、自分でスカート持ち上げてショーツ見せつけるよりは、ぜんぜんマシ。

あれ？　あたしの羞恥《しゅうち》の感覚もバグってきてない？　ふつうかな？　ちがうきがする。ま、いいや……。

「えーと、じゃあどっちから？」

『私はさっきいったから、鞠佳から』

「あ、はい……。ええと……」

できるだけそっけない態度を装って、なんでもない風に告《つ》げる。

「……絢、愛してる」

『……』

シンとした部屋。自分の湿度の高い声が耳に届いて、思わず頰《ほお》が熱くなる。

え、やば。これ思ったより恥ずかしいぞ。

「はい、絢の番」

するると、すぐに。

『──鞠佳、あいしてる。いつも私に勇気をくれて、ありがとう、鞠佳』

高火力の告白が、あたしのハートを揺さぶってくる。

「な、なにそれ。こっちこそ、絢にいっぱい楽しいこと、教えてもらってるのに……」

『鞠佳のばん』

そうだ、これ勝負だった。

「え、えっと……愛してる、絢。いっつもあたしに優しくしてくれて、ありがと……。絢のきもち、いつも伝わってるよ」

『…………』

絢が黙り込んだ。今のはだいぶ効いたみたい。

「あれあれ？　ひょっとしてあたしの勝ち？」

『まだまだ』

くっ、絢の照れ顔が見れない……。ビデオ通話にしておけばよかった。

しかし、こういう系のゲームで絢が自分から負けを認めることってないからね……。うっすら汗をかいてきた。

次はなにを言われるのかと、ドキドキして待つ。

『鞠佳の、まわりの人をぜったいに不快にさせない、自分はあかるくたのしい女の子なんだ、っていうその徹底しているところ、ほんとに尊敬してる。だいすき』

うぐ。畳みかけられた。

「な、なにそれ……別にあたしはそんな、うう……」

下腹《したはら》がポカポカして、熱いぐらい。

絢はきっと本気でそう思ってくれてるんだって伝わってくるから、ジタバタ悶えたくて仕方ない。

目を閉じると、すぐ近くに絢がいるような気がして、でも近くにはいないから、もどかしくなってくる。

「あ、絢だって、他の人に流されなくて自分を貫くところ、すごいかっこいいし……あたしにはできないことだから、羨ましいし……。それに、愛してる」

もうゲームとかじゃなくて、あたしはただ本気で愛を伝えてた。

『……鞠佳』

口に出せば口に出すほど、気持ちが抑えきれなくなって、高ぶってくる。

『私も愛してる、鞠佳のこと。ずっと、ずっと』

「うん……」

あたしは部屋の電気を消す。

絢の声に耳を澄ましながら、ベッドに転がった。

ただ、これだけじゃ物足りなくて……。アロマとかを焚く代わりに、その、絢がうちに置きっぱなしのカーディガンに顔をうずめてみたり。

こないだ絢に着てもらって匂《にお》いを補充したばかりだから、まだ絢の匂いがする……。

いや、いっつもやってるわけじゃないよ、あくまでも寂しくなったときとか、ストレスあるときだけだし。たまにね、たまに。あたしは絢と違って、ヘンタイじゃないからね。

……でも、いいきもち。絢に抱きしめられてるみたい。

『鞠佳に、触りたいな』

それは愛してるゲームのルールとは違う言葉だったんだけど。

「うん……なんか、あたしも」

声を聞いて、絢の匂いに包まれてはいるけれど、どれもやっぱり現物にはかなわない。

電話越しの物理的な距離が、せつない。

「会いたい……かも」

『うん』

ぼんやりと頭の中に地図を思い浮かべる。

別にいつだって、会おうと思ったら、会えるわけだし。

「今ならまだ、絢の家にいけるかな」

電車に乗って数駅程度の距離。

明日には、っていうか12時間もしないうちに、学校で会えるっていうのに。……なんで今すぐ会いたくなっちゃうんだろう。

けど、絢はちゃんと現実的だった。

『だめだよ、こんな夜遅くに。お母さんに怒られるでしょ』

「でも」

ちょっと会うだけなら、バレないかもじゃん、って言おうとしたんだけど。

『私も鞠佳と会いたいよ。おんなじきもちだよ。だけど、約束は守らなきゃ。一時の感情にまかせてヘンなことをしたら、お互いずっと後悔するよ』

それはとてもオトナな意見だ。

普段なら、絢はちゃんとあたしたちのこと考えてくれているんだなって思うはずなのに、今回ばかりはちょっと違ってて。

さっきの言葉が、引っかかっちゃってる。

もしかして、ヘンなことしちゃったらお互いずっと後悔するって、あたしに対してもそう思ってるのかな。

あたしたちは恋人同士なんだから、ふたりで決めたことなら後悔なんてしない。でも、そう思ってるのはあたしだけなのかな。

なんか……それはやっぱり、やだな。

長い沈黙を破ったのは、絢の言葉だった。

『ねえ、鞠佳。キスしてもいい？』

どうやって？　とか、ムリだよ、とか言ったりしないで、ドキドキしながらうなずいた。

「……うん」

ちゅ、って。受話器の向こうから、愛の音が聞こえる。

『愛してる、鞠佳』

ふんわりと浮かび上がる潮騒《しおさい》のようなキスの記憶。だけど、これだけじゃ切なくて。

「絢……」

その声に、絢は応《こた》えてくれる。

こういうところだけは、あたしのことすっごく理解してくれてる絢。

だって……あたしがこんな風になっちゃったのは、絢のせいなんだから。

『……ね、鞠佳のからだ、さわるよ』

「うん……」

絢だって、まさか本当に触れられるなんて思ってない。

これは、ただのごっこ遊びだ。

ほんと、恋愛って人をおかしくさせちゃう。どうかしてるよね、こんなの。

『まずは、胸から。優しくね』

あたしは胸に手を這《は》わせた。

自分の両手が、今だけは絢のそれになったみたいに。

「あっ……」

『先っぽも、きもちよくさせてあげるね。鞠佳、いつもしてあげてるみたいに』

思わず、声が出てしまう。

「んっ……あぁ……」

『どう、きもちいい？　鞠佳』

「……きもち、いい……」

絢の声に合わせて、あたしは指を動かす。

いつも絢にされてるみたいに、思い出しながら。

「ね、絢……愛してるよ」

『私も愛してる』

「もっと……してよ」

『そうだね、いっぱいしてあげる。愛してあげる。それじゃあ、次は――』

ハンズフリーにしたスマホの音量を絞り、枕元《まくらもと》に置く。

毛布《もうふ》をかぶって、絢のカーディガンを抱きながら、命令される通りに指を擦りつける。

あたしもおかしくなっちゃったのかな。ほんとに絢にされてるみたい。

「……絢ぁ……」

『胸だけじゃ、ガマンできないよね。下も、さわってあげよっか。ほら、どうせすっごく、濡れてるでしょ』

「そ、そんなこと、ない……っ」

歯を食いしばりながら、手をショーツの中に伸ばす。

声を漏《も》らさないように、息を押し殺そうとがんばったんだけど、だめ。

「………あぁっ」

『ね、どうなってるの？　鞠佳』

「ちょ、ちょっとは……その、湿ってるかも……生理現象で……」

『鞠佳。ほんとのこと言わないと、やめちゃうよ』

「……やだぁ」

幼児のように首を振りながら、指を前後させる。

絢みたいに上手には、できないけど。

「ほんとは……ぬるぬるしてる、の……」

『そうだよね。だって鞠佳、えろい子だもんね』

「ちがう、けど……絢にされると、こうなっちゃうの……絢のこと、好きだからぁ」

でも、してるのはあくまでも自分の指だから、刺激はなんだか違ってて。

もしも普段、絢があたしをいじめるのに玩具《おもちゃ》とか使ってたら、きっと今も同じきもちよさを味わえたのにな、って、そんなことを思っちゃったりした。

だからってローターとか用意して、きょうはこれでして、なんて言えるわけない。ゴムよりずっとえっちな子だし、そんなの。

だけど。

『すっごく、かわいいよ、鞠佳。……ああっ、まりか……ぁ……』

電話の向こうから、弦を爪弾《つまび》いたみたいな声が聞こえてきて。

思わず頭が真っ白になっちゃいそうだった。

あの絢が、あたしを想って、ひとりでしてるんだ。

目を閉じるとその姿が想像できちゃって、愛《いと》しさがさっきよりもずっと、たっぷりと、蜜《みつ》のようにあふれてくる。

やば……絢、かわいい。

『すき、鞠佳……』

やばいやばい、たまんない。こんなの。

いつもより切なそうな絢の声は、ダイレクトに子宮に響いてくるみたい。

だめ、すっごく、がまんできない。

「あたしも……。ね、絢、もっとはげしく、して……」

『うん、うん……。いっぱい、してあげるからね……』

「して、絢……して……。だいすき、絢……ねえ、きもちよくして……」

それからしばらくの間。

電話越しに絢と溶け合って、あたしたちは一緒におかしくなった。

こんなこと恥ずかしすぎるのに、絢とおかしくなるなら、まあいいかな、なんて思っちゃったりして……。

また、ふたりだけの秘密が増えてしまったのだった。


あたしたちは日付が変わる頃に、おやすみを言って電話を切った。

ほんとは朝までこのまま繋《つな》がってたかったけど、それじゃあたしがいつまでも寝ないからって、前に止められたのだ。同じ部屋にいたら寝かせてくれないのは絢のくせに……。

シーンとした部屋で、絢の声の残響を味わいながら、目を閉じる。

クリスマスに泊まりに来てくれたときは、ほんと、幸せだったなあ……。

親公認で遊んだり、絢とおしゃべりしたりできるのは嬉しいけどさ、やっぱり一緒のベッドで眠りたい。

今だってじゅうぶん幸せなはずなのに、先の幸せを知っちゃったから、もっとほしくなっちゃうのはわがままなのかな。

絢みたいにちゃんと満足してなきゃだめなのかな。

そんなことを考えながら、ぼんやりと夏海ちゃんのことを思った。

もし自分がずっと絢のことを片思いしていたら……なんて考えると、余計に今の状況が贅沢《ぜいたく》に感じる。

会いたいときに会えなくても、声は聞けるんだから。

手の届かなかった頃の絢には、あたしだけが一方的に身体をもてあそばれてると思ってた。

あの、透明で美しいガラス細工《ざいく》のような横顔。それが今、自分の恋人だなんて、夢みたいだ。

だから……夏海ちゃんにも、幸せになってほしいな。

そのために。あたしはあたしにできることをがんばらなきゃ。


この日あたしが見た夢は、見事に恋の成就した夏海ちゃんの結婚式に出席したあたしが、チョコレート色のブーケを手にして、絢と手を繋いで一緒の家に帰る……という欲望にまみれたものだった。

どんだけあたし、絢と結ばれたがってるんだ。

これじゃあたしのほうが、よっぽど重い女じゃないかな!

やると決めたらやるのが榊原鞠佳《さかきばらまりか》である。

あたしは休み時間、一年生のクラスがある階を、ふらふらとさまよってた。

あちこちから好奇の視線を感じるものの、鉄の心で総スルー。

高校に入ってからはずっと帰宅部だから、下級生と絡《から》むのって委員会とか体育祭や文化祭ぐらい。ほんとぜんぜん付き合いないんだよね。

まあそれでも、適当にぶらつけばひとりやふたり、顔見知りも見つかるでしょ。そんなテンションでさまよってると、だ。

「あれ、榊原センパイじゃないすかー」

向こうから声をかけてもらえた。

「お、いたいた、手頃《てごろ》な後輩」

「え、なんすか？　誰《だれ》かお探しすかー？」

「そだね、香奈《かな》はけっこうアタリだわ」

「？？？」

あたしより背が高くてちょっとツリ目の、お稲荷様《いなりさま》みたいな雰囲気の一年生——杉渕《すぎぶち》香奈は、中学時代の陸上部の後輩だ。

中学の陸上部はみんな仲良かったけど、香奈もそのうちのひとり。清く礼儀正しい後輩というよりは、一緒にバカやった悪友、みたいな。

そこそこの偏差値と、自由すぎる校風で評判の我が校に入るような子だから、素行はお察しである。だからこそ、あたしとは気が合ってたのかもしれない。

まあ、あたしも中学時代はもうちょっと愚かだったっていうか、女子力も今の四分の一ぐらいだったっていうか……いや、それはいいいや！

「え、センパイ、もしかして高校でも陸上部に入りたくなったけど、今さら入部届を出すのは恥《は》ずかしいから、私に便宜《べんぎ》を図ってほしいって、そういうことすか？　いやあ、しょうがないなあ、お世話になったセンパイのためなら！」

「脳内でストーリー組み立て過ぎだぞ、後輩。てか、あたし来年受験なのに今から部活始めてどうすんの」

「楽しい！」

夏海《なつみ》ちゃんよりさらにちょい高な、１７０センチ超えの香奈ががばっと両手を広げると、なんとなく孔雀《くじゃく》に羽を広げられてるような気分になる。

「走りたきゃひとりでそこらへんでも走るっての」

腰に手を当てて言い切ると、「えー」という顔をされた。

「香奈こそちゃんと真面目《まじめ》にやってる？　誰かに迷惑かけてない？」

「はあー⁉　センパイ、私のお母さんなんですかー⁉　今さらもう昔の女が口出してこないでくださいすよ、ほっといてください！　でもたまに会いに来てくださいね」

「難しいお年頃《としごろ》か」

上目遣《うわめづか》いで顔を寄せてくるから、ぺちっと額を叩《たた》いて追い返す。ぎゃふんと言われた。ぎゃふんて。

「ま、あたし今、放課後はバイトで忙しいから、どっちみちムリだけどねー」

「ああ、そうなんすか。残念ー。どこでバイトしてるんすか？　メイド喫茶《きっさ》とか⁉」

「ありえないでしょ。似合うと思う？」

「んー……センパイなら、アリよりのアリかな、と」

両手の指で四角形の枠を作り、ファインダーを覗《のぞ》くみたいにこちらを眺めてくる後輩に「ナイナイ」と首を振る。そういうのはもっとおしとやかな子がやるもんだよ。

「ふつうのファミレス。ただ、接客の才能はあったのかもね。半年でBランククルーに上り詰めちゃったから」

胸に手を当ててドヤ顔で言い放つ。

「はあ。すごいんすか？　それ」

「すごいに決まってるでしょ！　店長だって『こんなに昇進が速いのは榊原が初めてだ』って褒《ほ》めてくれたんだから！」

「急に圧《あつ》すごくないすか？」

ぐっ……これだから社会を知らないお子様は……！　拳《こぶし》を握りしめる。

あまりムキになるのも大人げないので、あたしは本題に入る。

「それより香奈さ、祝嶺《しゅくみね》って先輩《センパイ》知ってる？」

珍しい名字だし、もし知り合いだったらラッキー、ぐらいの気持ちで聞いたんだけど。

「晴《はる》っすか？　晴だったらさっきそこらへんに……」

「お？」

きょろきょろと見回した香奈が、誰かを見つけた。背伸びして手を振る。

「あ、いたいた、おーい！」

げ。

こっそりと後輩に晴の評判を聞き込みに行こうとしたら、止める暇《ひま》もなく本人を呼ばれてしまった。

「なになにー？」

トテトテと現れた彼女は、遠目に見るよりずっとちっちゃかった。150センチぐらい。前髪を金ピンでランダム留めしていて、いかにもリスやハムスターを彷彿《ほうふつ》させるようなかわいらしい子だった。

「ええっとね、あたしは」

「――えー⁉」

しかものっけからハイテンションに目を輝かせて、あたしの手を握りしめてくるし。

な、なになに。

「二年の榊原先輩じゃないですかあー！　なんでなんで⁉」

「晴に用があるんだってー」

「ええー⁉　ヤバー！」

うっ、高一めちゃくちゃ元気だな！

やばい、若さに押されてる。こんなに寒いのに、タイツも穿《は》かず短いスカートの生足だし、ビビる。

「ていうか、あたしのこと知ってるの？」

「そりゃ知ってますよー！　うちめっちゃインスタフォローしてますもん！　毎日すっごいチェックしてますし！　でも実物ヤバー！　顔ちっちゃいし、目デカー！」

「ええ？　あたしのファンってこと？」

「それそれ！　それです！　うちたまに香奈にくっついて教室行ってるんですよ！　チラチラ見てますもん！　えっ、これストーカー的な……？　うちキモさヤバじゃないですか⁉　引かないでくださいー！」

「あはは、別に引かないけど」

ただ、なんかこそっと嫌な予感がする。なんだろうか。

それはそうと、香奈が後ろから晴ちゃんに抱きつきながら、本日のおすすめメニューを教えてくれる店員さんのように告《つ》げてくる。

「この子、がちでセンパイに憧《あこが》れてるんすよ。だってほら」

くるりと体を回させると、晴ちゃんは白いリボンのついたゴム紐《ひも》で後ろ髪を留めてた。

あら。

「それ、あたしが使ってるのと同じリボンじゃん」

髪型も、ちょいちょいインスタに載っけてるアレンジのひとつだ。

「なんで香奈こういうことするの⁉　うわーめっちゃハズ！　顔アツ！」

ぽかぽかと香奈を叩いた後で、晴ちゃんは手をパタパタと扇《あお》いで火照《ほて》りを鎮めようとする。

耳まで真っ赤《まか》になってた。

「えー、真似《まね》してくれてるの嬉《うれ》しいなー」

「いやいやいやいやいや……スミマセンほんとなんかスミマセン！」

後輩に慕《した》われてるこの感じも、なんだか懐かしい。

「センパイ、下級生から人気あるんすよねー」

「へー、めちゃくちゃ初耳。高校ではぜんぜん絡みないのに、なんでだろ?」

「いやどこにいても目立つじゃないすか。遠目から見ても華やかで、芸能人みたいなオーラを全身にまとってて。はー！　わかりきったこと後輩に言わせてそんなに気持ちよくなりたいんすかねえセンパイ！」

「おい言葉が過ぎるぞ後輩」

しかし、そんなに言わせてしまうほど、わかりきったことだったのか……。ぜんぜん自覚がなかった。

なんだろう。ここ最近、人気者の地位にかじりつくための、牙《きば》が抜けてきた気がする。プライベートが幸せになって満たされてしまった……?　よくないなあ！

まあ、己《おのれ》を戒めるのは、またあとで。

「あ、じゃあさ、晴ちゃんさ」

「はい！」

眩《まぶ》しい笑顔を向けられて、思わず目を細めてしまう。一年生、初々《ういうい》しい。

とりま、晴ちゃんとＬＩＮＥ交換をして……と、スマホを取り出そうとした瞬間。

ニッコニコの晴ちゃんと目が合って、あたしの頭に落雷が直撃した感じがした。

待って、これ。

頭脳が目まぐるしく回転を始める。

なんだろうか、こう、もしかしてとは思うんだけど……。

……晴ちゃん、あたしのことが好きってパターンない？？

いやいや、まさか。

いくらあたしがいろんな女の子に好意を向けられるタイプの人間（らしい）とはいえ、そんなたまたまタイミング悪く、相談に乗った子の片思い相手が、あたしのことが好きなんてこと、ある？

身の回りがそうだからこの頃《ごろ》は、女子が女子に恋するのが当たり前！ みたいな風潮になってる感じだけど、そんなことないからね？ ありえないからね。

夏海《なつみ》ちゃん晴《はる》ちゃんだけど……小動物みたいな晴ちゃんは今も、推《お》しアイドルを信奉するようなキラキラの視線でこっちを仰《あお》ぎ見てくるし。

いやいや、まさかまさか……。

顔面は必死に笑顔を維持しつつも、さすがに冷や汗が流れ落ちる。

「あ、ええと」

「？」

いくらファンでお揃《そろ》いコーデをされちゃってるからって、それはただの憧れであって、恋愛感情をもたれてるなんてあたしの自意識過剰だ。ぜったいにそうだ。

なんだけど！ いちおＬＩＮＥ交換はやめとこ！

「いや、夏海ちゃんがけっこう話に出してる後輩だからさ、どんな子なのかなーって一度顔を見たくなっちゃって」

と、あたしは第二プランを口に出す。

こーゆーときはヘンに慌てて取り繕ったりせず、興味本位なら興味本位だと、ハッキリ意図を言い放つことが大事なのである。堂々としてればいいのだ。

晴ちゃんはぐいっと前のめりの体勢。

「夏海部長が榊原先輩にうちの話を！　えっ、どんな話を⁉」

「いや、なんか最近後輩がかわいくてさー、みたいな？　夏海ちゃんかなり晴ちゃんのこと気に入ってるみたいだし」

笑顔で語る。大丈夫、ただの事実だから。

外堀を埋めてくことで、当人に意識させちゃおうって古典的な作戦なんだけど。

「かわいいなんてそんな、えー！　夏海部長、恥ずかしい！　榊原先輩にそんな、そんなこと言っちゃうなんて……だって榊原先輩のほうが百億万倍かわいいのに！」

これ明らかに効果ないな、うん。

撤退しよ。

「それに、久々に後輩の顔も見たかったし？」

ついでに付け加えると、香奈は顎《あご》に両手をくっつけて頬《ほお》を赤らめる。

「えっ……センパイ……？（トゥンク）」

「ウソをつくなウソを」

「じゃあじゃあ榊原先輩、今度はうちが会いに行きますね！（トゥンク！）」

「あ、うん。待ってるね、晴ちゃん」

きゃー！　とはしゃぐ晴ちゃん。

大丈夫だよね？　これ、恋愛感情じゃないよね？　もうわかんないな！

「それじゃああたしは行くから、またねー」

ぷらぷらと手を振ると、後輩たちの元気な返事が返ってきた。

だけどすぐに「あー！　並んで写真撮ってもらえばよかったー！」という大きな声が聞こえてきて、そそくさと早足で離脱する。

そんな証拠品残してったら、それこそ夏海ちゃんになんて言われるかわからない！

踊り場まで撤退したところで、はー……、と大きな息をつく。

晴ちゃんは、かわいくて礼儀正しくて、理想の後輩って感じのイメージだった。

一緒に買い食いしたら、いろいろオゴりたくなっちゃいそう。ちょっと話しただけでもわかる。好感度高め。

だけどさあ。

「いやいや、ナイナイ。惚《ほ》れられてるとか、ありえない……。そりゃあたしも学年では目立つタイプだろうけど、そんな一年生まで名前が轟《とどろ》いてるとか……ねえ？」

胸に手を当てながら独《ひと》り言をつぶやいてると。

横からにゅっと何者かが現れた。

「それはどうかな」

「ひえっ⁉」

とっさに体を動かす。

何者かの腕を摑《つか》み、円を描くように引っ張り回す。絢《あや》にレクチャーされた初歩的な護身術、小手返し。

だけど、技は決まらなかった。10センチ以上も体格差があったのに、ひょいと抜けられてしまう。

付け焼き刃では、まだまだ未熟。これじゃ暴漢相手には、到底通用しないな……。

「まって、今途中から相手があたしだって気づいてなかった？」

青髪の白ギャルである、白幡《しらはた》ひな乃《の》が半眼で見つめてくる。うん、まあね。

でも正直、ひな乃相手なら別にいいかなって思ったのは否《いな》めない。せっかく教えてもらった技、使ってみたかったたし。

「ぜんぜんわかんなかった！　怪我《けが》がなくてなによりー」

「白々《しらじら》しいような……」

「ごめんごめん、でも後ろから急に話しかけてこられると、びっくりするよ。なんでこんなところにいるの」

ひな乃は原宿のカリスマショップ店員で、頭のネジが三本ぐらい外れてるタイプの女子高生だ。学校サボりまくってるけど『あたしは美少女だから、人生ぜんぶ大丈夫』とか言って根拠のない自信を抱いてる。もっとちゃんと生きてほしい。

「いや実は」

無意味にピースされる。

「鞠佳がコソコソ怪しい挙動をしてたから、浮気《うわき》みたいなやましいことでもしてるのかなって思って。弱みを握れたら言うこと聞かせられそうだから、付け回してた」

「思いっきりぶん投げときゃよかったな！」

なんてやつだ。

「かわいい後輩だったたね。あれが次のセフレ？」

「いたことないわ！」

「鞠佳はそろそろ己の欲望に正直になっちゃおう」

「あたしはあたしの欲望に大満足中なんで！」

「鞠佳のポテンシャルなら、もっともっと上を目指せるはず。世界に羽ばたいてこ」

「上とか下とかないから！」

どうしてこんな、全力でひな乃の相手をしちゃってるんだろうか。しんどい。

「なんであたしをただれた道に引きずり込もうとしてくんのよ……」

目を細め、天井《てんじょう》を仰ぐひな乃。

「せっかく百年に一度の才能をもった女が近くにいるんだから、見てみたくもなるよね。本気の鞠佳がどこまでいくのか。何十人はべらせることになるのか。作ろう、大奥を」

ひな乃は、あたしが築城した大奥の幻を見てるかのようだ。たくさんの側室に囲まれてるあたしのそばには、ちゃっかりひな乃も居座ってるのかもしれない。

……まさかとは思うけど、ヤバいクスリとかやってないわよねこいつ。クラスメイトとして心配になってしまう。

トリップから帰ってきたひな乃は、ふむふむとコミカルにうなずく。

「ただその前に、性格を矯正しないと。もっと暴《あば》れん坊将軍みたいになってもらわなきゃ。今の鞠佳はちょっと優しすぎる」

「はあ」

「人の苦労を背負い込んじゃうタイプぽいよね」

「そうかな……。とりあえず、隣の女はあたしに苦労をかけてる自覚をもってほしい」

「そういう感じのとこ」

ふにゃりとした人差し指で差される。

「あたしの好きな人に、たまに似てるから、たまにときめく」

「はいはい、ありがとありがと……」

大富豪の八切りみたいに話題を流す。ひな乃は特になにも言ってこなかったけど、小さな肩をすくめてた。

せっかくだ。相手をしてあげたお駄賃《だちん》ぐらいはもらっておこう。

「てかさ、ひな乃。盗み聞きしてたんだったら聞きたいんだけど……あの子、あたしのこと好きっぽく見えた？」

ひな乃は首を傾《かし》げる。

「なんであたしに聞くの？」

「ひな乃って女対女の経験値すごいらしいじゃん」

「まあそれなりに。キスはうまいよ。する？」

「間に合ってます」

本人曰《いわ》く、小学生の頃から複数の同性相手にキスしまくってたらしい。筋金《すじがね》入りだ。

夏海ちゃんのピュアピュアなハートを見せてやりたい。

「あと、なにげに、ひな乃って口堅そうだし」

「こんな見た目してるやつだけども」

大胆に染めた青い髪をつまんで引っ張るひな乃に、意外と普通のことを言ってきたなあと思いつつ。

あたしはいつもの調子で突っ込んだ。

「いや、見た目は関係ないじゃん。ひな乃は、ひな乃でしょ」

ひな乃は目を丸くして、きょとんとしてた。

「あたしはあたしだけども」

「うん。その尖《とが》ったファッションセンスとか、あたしはきらいじゃないしね。それで学校くるの、だいぶすごいし。オンリーワンって感じで、かっこいいじゃん?」

ひな乃は両腕を後ろに回して、体を揺らしてた。

「……んー、うん、まあ、ね?」

珍しく視線をさまよわせるひな乃。

なんだこいつ、人をさんざんおちょくり倒すくせに、自分がいじられるのは弱いのか?

ちょっと気分がよくなる。

「お、ひな乃が照れた? へー、ほー。そういう顔もするんだねー、ひな乃ちゃん。かわいいじゃん、ひな乃ちゃんもやっぱり女の子でしたかー」

「おいやめろ。好きになるぞ」

「かんべんしてくれ!」

あたしは両手でバッテンを作って叫《さけ》ぶ。それ振り下ろしちゃいけない武器だぞまじで。

その後、ひな乃は「あの後輩ちゃんが鞠佳を好きかどうかはわからないけど、鞠佳は女を惹《ひ》き寄せるから順当に考えたら鞠佳を好きになるはず」という、なんの参考にもならない意見を置いていった。

それじゃ困るんだよお！

＊＊＊

晴ちゃんに初めて会ってから、数日後。

夏海ちゃんの部活が早めに終わる日に予定を立てて、『バレンタインデー同盟』は再び集結した。本日は二度目のチョコレート作りだ。

前回同様、悠愛《ゆめ》と一緒に、夏海ちゃんの家で練習会……なんだけど。

「がんばろーー！」

「おー！」

「おー……」

悠愛と夏海ちゃんがチョコを溶かすような熱いやる気に満ちてる横、弱々しく拳を突き上げてるのはあたし。

き、気まずい。あまりにも。

あたしはしばらく経《た》っても、晴ちゃんの件を消化することができずにいた。

だって、晴ちゃんがあたしのことを好きかもって気づいてるくせに、どんな顔で夏海ちゃんの恋に手を貸してるんだよ、って話じゃん！

ぜんぶ打ち明けたい……。打ち明けて、あたしだけ楽になりたい……。

けど、これも難しい話で、あたしの勘違いって可能性もぜんぜんあるわけでさ。

もし言ったとしてもだよ。

『実は晴ちゃんあたしのこと好きかも笑』って……いやいやいやいやいや。

嫌な女すぎるでしょ！　夏海ちゃんに絶交されるわ。

ああ、なぜあたしは晴ちゃんに会いに行ってしまったのか……。知らなければよかったのに、なにもかも……。

おっきなやぶ蛇《へび》に全身をぐるぐる巻きにされて、身動きが取れない気分。

そんなあたしの煩悶《はんもん》はさておき……本日はガナッシュの練習だ。

あたしと夏海ちゃんが、悠愛料理長の監修の下、ひとまず交互にチョコレートを刻む。

単純作業、めっちゃ癒《い》やされる。なにも考えずに済むから……。

……てわけにもいかない。今は独りじゃないのだ。

包丁片手に、あたしは引きつった笑顔で顔をあげる。

「て、てゆーかさー」

とりあえず、榊原鞠佳はやると決めたらやる女なので、いつまでも逃げずに立ち向かわないと。そのやる気のせいで、ひどい罪悪感を抱えることになったんだけどね！

「こないだ、夏海ちゃんの言ってた後輩ちゃんを見かけたんだけど」

「ほほほう？」

「あの子、あたしと同じリボンの髪ゴムしててさ。なんかシンパシー感じちゃった。わー、おそろいだー、みたいな」

さ、どうだろうこの話題の振り方は。

もしかしたら夏海ちゃんが、晴ちゃんからあたしの話をなんか聞いてたりするかもしれないし。

さらに、知らなかったとしても、その後に夏海ちゃんが晴ちゃん本人からあたしのことを聞き出す導線にもなる。これがあたしのさりげない誘導術！

夏海ちゃんはこっちを見て、ハッとした。

「えっ、あ、ほんとだ！　へー、そういうの流行《はや》ってるんだねー！」

おいこら！

なにか疑問に思いなよ！　寝て起きたら忘れちゃうやつでしょそれ！

「榊原の髪ゴム、すっごく似合ってるね！　女の子って感じでほーんと羨《うらや》ましい〜！　はー、榊原かわい〜〜〜！」

「あ、ありがと……」

純真無垢《むく》な笑顔で褒められた。

悪気のない好意が胸に刺さる。胃痛がしてきちゃったなもう。

夏海ちゃんは自分の前髪を引っ張りながら、唇を尖らせる。

「私もそういうのしたほうが女の子っぽいかなあ〜〜、髪型はいっつもくくっただけのポニテだし〜〜」

生クリームを入れた鍋《なべ》を火にかけて、ガナッシュの準備をしてた悠愛が、くるっと振り返ってくる。

「えー、なっつんはかっこいいのがいいんじゃん！　背高くて、羨ましいよ！　あたしなっつんみたいなのタイプだし！」

「ほんと!?　やったー！　じゃあ今度試合とか見に来ちゃう？　けっこう後輩にキャーキャー言われちゃうんだよ私！」

「えーー絶対いくーー！」

すっかり仲良くなってじゃれ合うふたりを、あたしは遠い目で見つめる。恋する女の子、かわいいなー……。

チョコレートをぼとぼとと鍋に落としてゆく。さ、今度は泡立て器。なめらかなクリーム状になるまで、混ぜる、混ぜる。

「なっつんはさー、後輩ちゃんのどういうところを好きになったのー？」

「えー⁉　それ聞いちゃう？　聞いちゃうやつ〜〜⁉」

夏海ちゃんはめちゃくちゃ話したそうな顔してる。今までずっと秘めた恋だったから、誰ともこういう話できなかっただろうしなあ。

ちなみに、あたしも悠愛も、それぞれ女の子と付き合ってるってことは、夏海ちゃんに告白済みだ。さすがに相手は言ってないけど、だから夏海ちゃんの気持ちすっごくよくわかるんだよ、って。

夏海ちゃんは喜んでくれつつも、すごくびっくりして『今のトレンド〜〜！』って叫んでた。

トレンドかどうかは知らない。

いや、いくらうちの学校が女子高だからって、同じクラスに女の子に恋してる三人が集まってるんだから、もはやトレンドなのかも……？

いやいや違う違う。人を好きになったり恋に落ちることに、トレンドとかないから。

とまあ、夏海ちゃんは悠愛に指導されて、タルト生地《きじ》の作り方を教わりながら、ハツラツと喋《しゃべ》り出す。

「晴は、実は最初はけっこうめんどくさい後輩だなーって思ってたんだよね〜」

「ほうほう」

「ふむふむ」

「割となんでも聞いてくるタイプでさ、いやそれぐらいわかるでしょ、みたいなのも『先輩これどうすればいいですか！』って後ろくっついてきて、その割に『いやでもそれおかしくないですか？』みたいな、意見してくる感じで〜〜」

不穏な内容を、夏海ちゃんは娘の成長を喜ぶお母さんみたいな顔で語る。

「後ろをくっついてくるのは、ハムスターみたいでかわいかったんだけど。ただ私的にも部長になったばっかりだったし、割と下級生に突き上げられるのプレッシャーだったりして、悩んだりもしたんだけど〜」

晴ちゃん、あたしの目の前だと完全にファン第一号！　みたいな態度だったけど、自分の意見をハッキリと口に出すタイプなんだなあ。

でも確かにそうか。推してる先輩に真っ正面から『推しなんです！』だなんて、けっこうがんばらないと言えないかも。

「なっつん、キャプテンだし委員長だしねー」

「まーねー！　私的には楽しいからやってるんだけど、24時間365日楽しいだけってわけにはいかないからね〜〜！」

タハハーと夏海ちゃんは笑う。

「けっこう負荷かかってるタイミングだったし、ポロッとキツいこと言っちゃったんだよね。ごめん今忙しいから他の先輩に聞いて、とか。そしたら晴、顔を真っ赤にして『私は伊藤《いとう》先輩がいいんです』みたいに引かないで、なんだこいつ？　ってなってたんだけど」

ん～～～、と思い出しながら、こらえきれず夏海ちゃんは手をバタバタさせた。

「あとから聞いたら、実は晴って一年生の連絡を密にしてたり、部内がうまく回るようにサポートしてくれたりしてたんだよね！　それ知ったとき、うわこの子めっちゃ健気《けなげ》じゃん！　がんばってくれてたんじゃんって、ワーってなっちゃって！」

「おおー」とあたしと悠愛が拍手した。

あたしも覚えがあるからわかるけど、運動部はクラス以上に女子社会の縮図だ。先輩にも後輩にも嫌われないように立ち回るのは、よっぽどコミュ力が高くないとやってらんない。実力がずば抜けてて全国大会レベルとかならともかく。

だから気を遣っちゃうことも多いわけで、そんなとき、そばにいてくれた自分の味方は、そりゃもう嬉しいよね。

「え、ヤバ、すごいかわいくない⁉　最強じゃん、いい子じゃん！　ってなっちゃって～～、そこからなにしてても目で追うようになっちゃって～～。ちっちゃいのにリーダーシップも責任感もあるし、とにかく、すごいいい子なんだよ～～～！」

なるほどねえ。

「わかるなあ」

めちゃくちゃ共感してしまった。

「困ったときに助けてくれたり、ふとしたギャップとかかっこいいところ見せられちゃうと、キュンってなるよねー」

「なるね！　なりました！　ぬふふふ、好き～～～！」

タルト生地を寝かせるために開いた冷蔵庫に、そのまま叫ぶ夏海ちゃん。なぜか悠愛まで「好きーーー！」と一緒になって声をあげてる。なんだこの空間。

悠愛が夏海ちゃんの手をぎゅっと摑む。

「だったら、やっぱりバレンタインデーだよ、なっつん！　告白するならバレンタインデーに決まってるもん！　女の子が365日でいちばんかわいい日なんだから！」

「えぇー!?　私でもかわいくなれますか、料理長！」

「もちろんかわいい！　五兆点あげちゃう！」

「やったー！　世界ランキング一位ー！」

他人の恋バナを食べておいしいおいしいと思ってると、夏海ちゃんは矛先をこちらに向けてきた。

「てか、聞いてなかったけど、榊原もそういうギャップ萌《も》えで付き合った感じ!?」

「あ、あたし？」

ドキッとした。

「そうだなあ、ええとね」

腕組みしてうなる。

そういえばあたし、可憐《かれん》さんとか冴《さえ》とかお母さんとか、絢のことを知ってる人にしか、恋人の話をしたことがないかもしれない。

「えーっと、うーんと……」

言葉を選びすぎて、なんにも出てこない！

「いや、あたしは……その、最初から、かっこいいって思ってたし？」

悠愛が『えっ⁉』という目でこっちを見る。なんだよう！

確かに、不破《ふわ》ウザいとか不破ありえないとか、しょっちゅうわめいてた時期があったような、なかったような……。

でもそれ、半年以上も前でしょ？　古代じゃん。ジュラ紀じゃん。時効、時効。

「まーでも、確かに！　榊原らしい！」

「え、なにが？」

「ぬふふ、榊原って理想高そうだもんね！」

初めて言われた。

「えー？　そう見える？　あたしけっこう誰とでも友達になれるタイプだよ？」

「友達と恋人は違うじゃん⁉」

夏海ちゃんが全力で否定してくる。

「だって、ほら、恋人は……ほら、甘えたり、甘えられたりしたいじゃん！　した、したい、したいじゃん～～！　したいよお～～～！」

自分で言っておいて、夏海ちゃんが自爆してた。

「まあ、うん、そうかな……そうだね……」

顔を押さえて悶《もだ》えてる夏海ちゃんを見て、あたしも恥ずかしさがこみ上げてくる。

確かに恋人に甘えたりする時間は、格別だよね……。ギュッとされたり、膝枕《ひざまくら》してもらったり……。

「わかります！」と悠愛も挙手してた。そりゃあんたは、ダントツで恋愛体質だから、そうでしょうよ。

深呼吸した夏海ちゃんは、ひとしきり落ち着いてから。

「悪い意味じゃなくてさ、榊原ってスペック高いから、『あたしがこれぐらいできるんだからさぁ～、これぐらいしてよねぇ～～～』みたいなの、恋人相手には素で思いそう！」

急なモノマネに、悠愛がめっちゃ笑ってた。このやろ。

「いや普段そんなこと思ってないけど！」

「まあまあ。だから榊原って、惚れるまでのハードルが高跳びのバーぐらいあるけど、それを飛び越えてきちゃった相手には、もう、めちゃくちゃ一途《いちず》！　的な⁉　ぜんぶ捧《ささ》げちゃう！みたいな！」

「えー。えーえー?」

我が身を顧みる。

絢が惚れるまでのハードルを飛び越えてきたかっていうと……まあ、飛び越えてはきたわけだけど……。

だって仕方なくない? あいつが、すっごく美人で、優しくて、かっこよくて、あたしのことを大事にしてくれるから……。

「いや、だからって、あたしは別に、一途とか? ぜんぶ捧げるとか、そんなそんな……。そんなつもりは……」

バレンタインデーの目的を思い出す。

絢に処女《しょじょ》を捧げようとしてるんだった。

……当たってるかもしれない。

見抜かれてるのって、なんだか恥ずかしい。夏海ちゃんは委員長や部長経験が多いだけあって、人のタイプを見分けて判別する能力が高いのかもしれない。

はいはーい、と悠愛が夏海ちゃんの腕に抱きつく。

「え、あたしは? あたし!」

「ゆめっちはねー、夢中になったらもうとまらない! 他のなにも目に入らなくなっちゃうー! って感じ!」

「すごーい！　めっちゃそれかも！」

ひゃっほーい、と夏海ちゃんは悠愛とハイタッチを交わす。

こうして共同作業をしてると、学校で話してるだけじゃわからないことが見えてくる。

女子はチョコレートみたいだ。冷やして固めると、どんな形にもなる。その場の必要に応じていろんな姿を見せるけど、あくまでも自分の味は変わんないまま。

クラスでの伊藤夏海は、ちょっと強引で人のことをあんまり気にしないマイペースな体育会系女子だ。

フットワークが軽く、面白《おもしろ》そうなことはなんでも首を突っ込んでくる。表面上はノリがよくて、悩みなんてなんにもない風に見えてたけど。

相談を受けて以来、夏海ちゃんの印象はけっこう変わった。

実際は、めちゃくちゃ真面目な子なのだ。

恋についても、悩んだらまずマニュアル本を読んだり、告白するためにわざわざチョコレート作りから勉強するような。

もしかしたら、なんでも基礎から始めないと気が済まないのかもしれない。

あたしみたいに要領よく全部に八〇点を取るんじゃなくて、一教科だけ百点を目指すようなタイプ。

でも、それってたぶん、絢と同じタイプ。……なので、あたしは夏海ちゃんには報われてほしいって強く思っちゃうのだ。そんなのあたしの超わがままだけどね。

女同士の友情なんて〜、ってよく言われるけどさ。そんなのあるに決まってるし。

あたしは周りの人にはちゃんと幸せになってほしいもん。

「ただね〜」

ひとしきり悠愛とはしゃいでた夏海ちゃんは、爽《さわ》やかな笑顔のまま、何気ない口調で。

あたしの胸をグサッと貫いた。

「相手は知らないけど、晴って好きな人いるっぽいんだよね〜。私的には私だったら超いいんだけどな〜〜！」

「えっ⁉　まりか、どうしたのまりか！　うずくまって胸を押さえて！　ガナッシュの味、そんなに口に合わなかった⁉」

鋼鉄のメンタルで夏海ちゃんとの時間をやりきったあたしは、家を出るなり強引に悠愛の腕を取った。

「悠愛」

「えっ、なに？？」

「あたし、カラオケ、いきたい。付き合い、ほしい」

「なんでカタコトなの。でもだめだよ、きょうあたしバイトだもん。鞠佳もチョコ作りのお勉強おうちでやんなよー。当日はちゃーんとひとりで作るんだからねー」

あたしは星に向かって叫んだ。

「ちくしょうー！」

だが、あたしはまだ知らなかった。

翌日、畳《たた》みかけるようにしてさらなるストレスが、あたしを襲うことになるとは……。

＊＊＊

学校は平和だ。学校大好きー。

絢も、たくさんの親しい友達もいるし。

いや、悠愛や知沙希《ちさき》の関係がやばめかもって聞いたから、なんだかんだチクチクするときはあるけど。あれ、ぜんぜん平和じゃないな！

この日、知沙希や悠愛と話してる最中のことだった。

「でも最近けっこうあたしもVチューバーっていうの見てるんだけど、みんなみんなかわいいんだよねー」

「へえー、誰かオススメとかいたりするのー？」

「悠愛は……ビジュアルでいちばん好みの女の子でも選べばいいんじゃないかな」

「あたしに雑じゃない⁉」

「はは、うける」

悠愛に対して、知沙希も素で笑ったりしてるし。

ふたりの関係が危うくなってるかもなんて、事情を知らなければわかんないな……。

遠い目をしてると、どこからか「先輩ー」なんて声が聞こえてきたりする。

思わずぎくっと身をこわばらせてしまう。あたしの不安がついに幻聴を呼び寄せた？

違った。教室の入り口に、小さく一年生が顔を出してた。

は、晴ちゃん！

「あ、ちょっとごめんね」

後輩に呼ばれて顔を出す面倒見のいい先輩のキャラを作りつつ、グループから離脱。

絢がトイレで席を外しててよかった。言い訳が大変だろうから！

猛ダッシュで逃げたい気持ちを抑えながら、チャカチャカと寒い廊下に向かう。するとそこには晴ちゃんひとりきりではなく、目立つ長身ポニーテール、夏海ちゃんもいた。

そうだ、部活の話で晴ちゃんはたまに夏海ちゃんに会いに来るんだ。

だったらそこで顔見知りのあたしに声をかけよっかっていう流れは自然……。

ここが勝負所、という気持ちになってきた。

日常の一幕が、なんでこんな緊張感に満ちた決戦場みたいになってるのか、まったくわからない！

早速、あたしを見た晴ちゃんがキャッキャと手を叩く。

「わーい、わーい、榊原先輩、きょうもすっごくかわいいー！　その冬メイク、ヤバー。素材がいいから、映《ば》えがすごいー！」

「はは……きょうの主役は、出たばっかりのクリアマスカラ。キープ力高いから、学校ではけっこうオススメ」

「ええーーあとでぜったい教えてくださいーー」

夏海ちゃんは持ち前の恋愛鈍感力を遺憾なく発揮する。

「あれ？　晴と榊原って、知り合いだったの？」

「ってわけじゃないんだけど」

「実はですねーー、うち、めちゃくちゃ榊原先輩のファンなんですよ！」

えっへん顔の晴ちゃん。

「えっ、そうだったの⁉」

「あはは、あたしもこないだ知ってびっくりしたよ」

ふたりのやり取りに、適当な笑顔を作る。このキープ力の高い笑顔で、いろんなことを乗り切ってきたんだあたしは。

夏海ちゃんのリアクションはというと。

「そっか～！　確かに榊原、か～わいいもんね～～！」

まるで自分が褒められたみたいにニコニコしてた。うーんイイ子！

「そうなんですよー！　榊原先輩、毎日すごーくキラキラしてて、ほんっとこんなにかわいい人が実在しているのか……⁉　みたいな衝撃がすごくてーー」

「だよね～！　肌なんか白くてスベスベしてて、近くにいるだけで私も美白イオン浴びてどんどんキレイになってっちゃいそう～～！」

「夏海先輩、同じクラスとか正直めっちゃ羨ましいんですけどー！」

「はっはっは、いいだろ～？　毎日、月額料金も無料で榊原見放題なんだよ～～？」

「うちと代わってくださいよその立場ーー！　ずるいずるいずるいーー！」

晴ちゃんは相変わらず、かわいいハムスターみたいな後輩なんだけど。

なんか、あたしを見る視線に、チクチクとしたトクベツなものが混ざっているように感じちゃうんだよねえ。

こないだも少しはあった気がするけど、今はそれよりずっとあからさまだ。夏海ちゃんがそばにいるから？　でもなんでだろ……。

てかこれってやっぱ、好き好きオーラなのかな。

うーん、やばそう。

「まーまー、あたしがかわいいって話は、もういいじゃん。てかさ、あれだよね。ふたりみたいに先輩と後輩で仲いいのって、いいよねー」

露骨《ろこつ》ではない程度の話題そらし。とりあえず夏海ちゃんはでれっとした顔になって、乗ってくれた。

「そーだね！　てかうちは二年と三年が正直微妙な感じになったこともあったんだけど、今の代はすごく仲が良くてさ～～」

「でもそれって、うちと夏海先輩が仲いいからですよね！」

お、やっぱけっこうぐいっと来るな、晴ちゃん。

「ん～～～！　ま、正直それはある、かな！　部長と次期部長が親密だから、そのいい影響出まくってるよね！」

「あはは、だって私、夏海先輩のこと大好きですもん！」

「ぬふふ、このかわいらしい後輩め～～！」

ふたりはなんと、廊下という公衆の面前で抱き合ってたりする。だ、大胆！

晴ちゃんはあくまでもスキンシップという態度なのに対し、夏海ちゃんの挙動は明らかに不審でテンパってるようだ。じゃっかん、息も荒い。

夏海ちゃん、大変だ。こういうのって男女のときは、基本あんまないよね。意識してる相手に気軽なボディタッチされて悩んじゃうやつ。

女の子同士の片思いならではのつらさを垣間見《かいまみ》てしまった。

「あー、先輩の腕に包まれてると、癒やされるー」

「だしょだしょ。いつでも抱きしめちゃうからね！」

「夏海先輩、さっすが部長！　下級生のメンタルケアもばっちり！」

「いえーい！」

　夏海ちゃんはちょっぴり頬が赤かったけど、もうだいたい普段どおり。よっぽどちょっかいを出されまくってるんだろうな。すごい自制心……。

　いや、違うか。夏海ちゃんはずっと困惑してたんだ。女の子同士なのにスキンシップにドキドキしちゃったりして。自分ってヘンなのかな、みたいな。

　そんなの『あなたも同じ気持ちですか？』なんて、真面目なトーンで相手に聞くわけにもいかないもんね。ひとりで悩んでさ。

　あたしの場合は、絢は最初から女の子が好きってわかってたわけだから……そう考えると、夏海ちゃんはほんとすごい。

　晴ちゃんはひとしきり夏海ちゃんのぬくもりを味わうと、満足そうに離れた。

「ふう、ありがとうございました、夏海先輩。おかげでつらいことも覚えた英単語もぜんぶ吹っ飛んじゃいました」

「うむ、いつでも頼ってくれていいのだよ。って晴の代償がハンパないいな！」

　ただの先輩後輩みたいな顔で笑うふたり。その間も夏海ちゃんは恋心をひた隠しにして、なんでもないフリをしてるんだと思うと、胸がキュンとなる。

だから、夏海ちゃんのことは応援したい。したいんだけどさあ……！

「は、榊原先輩がこちらを物欲しそうに見てる気がしますよ！　部長！」

「えっ、榊原もハグする？　ストレスが半分消し飛ぶって話だけど⁉」

「そうだね、してもらおうかな……廊下寒いし……」

虚無《きょむ》の表情で両手を広げる。すると『ぎゅー』が左右から来た。

夏海ちゃんはいいんだけど……。

今度は晴ちゃんが頬を赤らめてハァハァと興奮してる！

めっちゃ嗅《か》がれてる気がする！　さすがに、あからさますぎないか⁉

これもう、ほとんど確定でしょ！

「どう？　榊原、ストレス解消できた⁉」

「ふたりがかりだから、二倍なんで、もうぜんぶ消し飛んでますね！」

「うんそうだね、ありがとー」

体は人肌で温まったけれど、あたしのストレスは確実に、抱き合う前より倍増してるのだった……！　死ぬ！

しんどさにやられて、一日の授業が終わっても帰るのが億劫《おっくう》で、あたしはしばらくぺたんと机に突っ伏してた。

うう、この後バイトもあるんだよなあ……。

なんだろう。昔のあたしはもっと、人間関係に対してドライだった気がする。自分のできる範囲でがんばるぐらいで、少なくともこんなにストレス抱え込んだりはしなかった。

何事にも本気で関《かか》わると決めたからこそ、こんなにもしんどい思いをしちゃうんだろうな……。

でも、クリスマスのバーで玲奈《れいな》にタンカ切った手前、へこたれてるわけにはいかない。

正直、家に帰って、アロマ焚《た》いて寝たい気分だけど！

「鞠佳、ちょっといい、いい？」

「ふえー？」

顔をあげる。

そこには静寂《せいじゃく》の女王、鞄《かばん》を持った絢がデーンとあたしの机の前に立ってた。

明るい髪の物憂《ものう》げな美少女を見て、ちょっぴりストレスが緩和する。目の保養だー。

だけど、絢はどこかソワソワしてるみたいで。

「あーごめんあたしバイトだから、あんま絢んち寄ってる時間なくて」

「だいじょうぶ。学校で済むから」

学校で。

……学校で？

「え、なに、図書室で密会？」

「もっといい場所があるよ、きて」

帰り支度を済ませた途端、絢に手を引かれた。

いつになく強引な絢に引っ張られて、早足でついてく。

「ちょ、ちょっと、まだマフラーも巻いてないのに」

絢は文化部が集まる実習棟へと向かってた。こっちにはぜんぜん馴染《なじ》みがないっていうか、調理実習とか、音楽の授業とかで来る程度。

すれ違う人もどんどん少なくなってゆく。

「なになに、絢、どうしたの？　意図とか、説明が足りないと思うんですが！」

「……」

朝から絢の行動を思い返してみるけど、特に変わった様子はなかったはずなのに。

まあ、絢は感情を凍結させるのが上手だから、放課後になったら解凍＆爆発《ばくはつ》してやろうってずっと思ってたのかもしれないけど！

その後、階段をのぼって三階へ。

いよいよ見覚えのない謎《なぞ》の教室に引きずり込まれた。

室内にはまばらな机と、椅子《いす》が少々。使われてない空き教室かな？　ストーブもないから、廊下ほどじゃないけど寒い。あたしは鞄を背負い直す。

絢はシャッとカーテンをしめて、そこで止まった。薄暗い教室の中で、気まずそうに髪をいじってる。

ほんとなんなの。連れてきておいてだんまりされても困る。

「ねえ、絢、なんなの？　てか、ここどこ」

「空き教室」

「はあ。よくこんな場所知ってるねえ」

「うん、友達いなかったから、ひとりで過ごせる場所がないかなってあちこちウロウロしてたときに見つけたんだ」

「出た、絢の物悲しいエピソード集……。それで、こうまでしてあたしとふたりっきりになりたかった理由は、なに？　……って」

ずい、と絢の顔が近くにきて、キスされるかと思った。

けれども、大丈夫。

絢はそういうことをしない。

あたしが学校でのキャラを大切にしてるのを知ってるから、どんなに興奮してても、発情しても、学校ではぜったいに迫ってこない。

なので、あたしを理解して尊重してくれてる絢のことが、やっぱり優しいなあって思うわけで——。

「んっ、んん⁉」

キスされた。

ってオい！

「なんで⁉　って、ちょっ！」

反射的に突き飛ばそうとして、腕を絡め取られた。

絢はさらに服の下から手を突っ込んでこようとする。

「まって、まってまって！」

ぜんぜん待ってくれないし！

「絢、なんでこんな急に！　強引すぎるってば！　って……」

至近距離にある切れ長の瞳《ひとみ》が、あたしをじっと見つめてた。

あたしみたいにコソ盛りテク使いまくってるわけじゃないくせに、絢の自前の目元はそれだけで麗《うるわ》しくぱっちり。おまけに今は情念の炎が灯《とも》ってて、妖艶《ようえん》に光ってた。

空に光る満月とか、見晴らしのいい高台から眺めた景色みたいに、絢はきれいだ。自然界にあるような人の手に届かない美しさと、同じようなジャンルなのではないかと思う。

その一方で、人智《じんち》の及《およ》ばない超越的な存在っぽくて、今はなんかこわい！

「鞠佳」

「は、はい」

なんだこの説教モードみたいな圧。

あたしの顔を覗き込みながら、絢の柔らかそうな唇が動く。

「……今は、私のものだから」

「は、はい……？」

言い含められるまでもなく。今はっていうか、いつもなんですけども。

シャツの下に入り込んだ手が、もぞもぞと動く。体温低めの絢の指は冷たくて、氷のナイフを皮膚に突きつけられてるような心地がする。

絢の情欲を煽《あお》らないように気をつけつつ……。念のため、尋ねてみる。

「あの……まさかここでは、しないよね？　まさかだよね？」

ささやかな抵抗を踏み潰《つぶ》すみたいに、またキスをされた。

受け入れたわけじゃないのに、唇をノックされるだけで小さく口を開いてしまうのは、もはや条件反射。

手と裏腹に、あたしの舌に絡みつく絢の舌は熱くて、内側から溶かされてくようだ。

背徳感の塊が口内で暴れて、なんかもうすべてがどうでもよくなってしまいそうになる。ここが学校だということも忘れて、ただ絢に触れてほしくなっちゃいそう……だけど、いやいや、しませんからね！

絢が舌を引き抜いて、あたしの頬から手を離した。

なにか喋ろうとしてくるそのタイミングで、絢の手首を掴む。

「ま、待って。誰かに見られたら、どうするの……ほんと、まじめに困るってば……」

「そのときは」

絢があたしの耳元に顔を寄せてきた。

ふぅと息を吹きかけられて、あたしは顔をしかめて肩を震わせる。

「私と鞠佳が付き合ってるって、みんなにバレちゃうね」

「それは――」

絢はそんなこと、しないでしょって言おうとして、言葉を呑《の》み込む。

いや、でも、してきたからな、こいつ……。耳を押さえながら、一歩後ずさりした。

絢が本気で言ってるのかどうか、わからない。瞳の色が、普段の絢とぜんぜん違う。髪が炎みたいに揺らめいてるような気さえする。

どうしてこんなにも、燃え上がって……。

「もしかして」

あたしは膨らんだ風船みたいに張り詰めた雰囲気の絢を、気軽に突っついてしまった。

「……妬いてる？」

「は？」

舐めなトーンの、は？ が来た。

え？ こわ。

逃げ出したい。

でも、怯《ひる》まずに追撃しないと。だってあたし、悪いことしてないもん！

「絢が強引に来るときって、だいたいそうじゃん」

「………」

さすがに罪悪感を覚えてるのか。ほんのり頬を赤らめた絢が、目をそらす。

「うん」

それはご主人さまに構ってもらえないペットみたいだ。

かわいい。かわいいんだけど……。

いやいや、だめだめ。学校はルール違反なんだから、ちゃんと怒らないと。しつけ！ ちゃんとしつけしないと！

でも、妬《や》いてるって、なんで。

「きょう、鞠佳が廊下で抱き合ってるのを、たまたま見ちゃって」

「あっ、はい」

あれはただの友達で、絢の心配するようなことはなにもないんだけど……。

とはいえ、あたしだって、絢が知らない子と抱き合ってるのを見たらめちゃくちゃショックを受けるだろうなってのは容易に想像つくので、絢を強く責められなくなった！

「けどさ、それなら弁解させてよ！　空き教室でいきなり襲われて、けっこうこわかったんだからね⁉」

「それはごめん」

絢は素直に謝った。いい子か？

「でも、どうせなにもないいんだろうなってのはわかってるから、聞くことは特になかったし。それなら、先に鬱憤《うっぷん》を晴らしてからにしようっておもって」

あまりにも悪い子だった。

「まって。じゃあなに？　あたしの体でストレス解消されたってこと？」

だったらこのタイミングじゃなくてもよかったじゃん……。家に帰ってからとかさあ。

「それは、さすがに身勝手だと思うんですけど……あたしが学校でされたくないっていうの、知ってるくせに……」

「鞠佳のきもちは、いつだって尊重したいとおもってる。けど、私は私のきもちも尊重したいから」

「確かに！　あんたは初めて会ったときからそういうやつだった！」

一日一万円でクラスメイトを買った女の説得力、すごい。

口を尖らせる。

「絢の知らない子とボディタッチしたのは謝るけど……でも、女の子同士なんだからそういうのが普通にあるっていうのは、絢もわかってることじゃん」

「鞠佳が私のカノジョだって学校中に言いふらしてたら、少なくともかんたんに鞠佳にちょっかい出す子は少なくなってたとおもうよ」

「そ、それは、それを持ち出すのはズルじゃない？　だって、関係は隠しておこうって、ふたりで納得して決めたことでしょ！」

「納得したのは鞠佳でしょ。私は鞠佳を尊重しただけ。鞠佳のこと、好きだから」

「そ、そもそも、嫌な気分になったから、あたしのタブーを引《ひ》っ掻《か》いてあたしも嫌な気分にさせてやろう、みたいなのでしょこれ！　そんなのいいって言うわけないし！」

「そんなの知らないよ。私は今ここで、鞠佳としたいだけ」

ぜったい間違ったことは言ってないはずなのに、なんだか押されてる気がする。絢との口喧嘩《くちげんか》の連敗記録を更新する前に、話を打ち切ろう！

「とにかく、誰かに見られるのはヤだから、きょうはここまで。あ、見られなかったらいいってわけじゃないからね……ってこらー！」

内側からドアに鍵《かぎ》をかけてきた絢に怒鳴る。

「ちょっと勝手に！」

絢はあたしのそばにやってきて、一言。

「鞠佳は、私のこと、尊重してくれないの？」

その上目遣いに射抜かれて、一瞬、呼吸ができなくなる。

「ずっ、ずるい！　それはいちばんずるい！」

「ずるくない」

「だってそんなの断れないじゃん！　あたしだって絢のこと好きだもん！　絢のしてほしいこと、してあげたいって思ってるもん！　丁寧《ていねい》に逃げ道封じてからの決まり文句だ！」

絢に迫られて、じりじりと端に追いやられてゆく。

ううう。顔がいい……。

「だ、誰かに見られるのは、ぜったいにありえないからね……。ここじゃ、ドアの窓から見えるかもしれないし……」

「角度的にだいじょうぶ」

絢に肩を押されて、あたしは机に寄りかかる。

「ねえ、鞠佳。すこしだけ。……どうしても、だめ？」

いつも自信満々の絢が、まるであたしの機嫌を窺《うかが》うみたいにか細い声をあげるのは、それはもう威力たっぷりで。

寒いはずの空き教室で、内側から熱がわきあがってくるのを感じる。

だって、こないだ絢と電話でしちゃって以来、そういう機会なかったし……。

「鞠佳、好き、好き……。好きだよ……。鞠佳としたいな、私」

「で、でも、学校だし……」

みんなの人気者の榊原鞠佳が、校内で彼女としちゃうとか、そもそも校則違反だろうし、問題でしょ……。

学校はあたしの居場所で、だからこそ大切にしたくて、それは絢だってわかってくれてると思ってたのに……。

「鞠佳、ね、鞠佳ぁ……」

媚《こ》びるみたいな声をあげる絢は、えっちのときだけ見るようなとろんとした目。学校という日常の中で見ると、いやらしさがより一層引き立てられてるみたいだ。

あんまりにもかわいくて、好きなだけ餌《えさ》をあげたくなってきちゃう。

でも、でもでも……。

したいのは、あたしだって一緒だけど。

やっぱり、ムリ。いくら絢でも、ここだけは陥落できない。

「だめだってば……ねえ、わかってよ、絢……ここ、学校なんだよ……。金曜日なら空いてるから……ね？」

抱きつかれて、絢の感触の中、弱々しく絢の肩を叩く。

あたしはカノジョなのに、こんなにもかわいい絢のしたいことをさせてあげられなくて、胸が切ない。泣いてしまいそう。

困り果てたあたしは、今にもセーフワードを吐き出す寸前。

そこで。

絢が、小さくため息をついた。

「やっぱり、おねだりじゃ、鞠佳にはだめか」

「え？」

ぐわんと視界が揺れた。

「ちょっ」

机の上に押し倒される。

足が浮いて、あたしは絢を見上げる姿勢になった。

閉じたカーテンから差し込む陽《ひ》の光。風にのって聞こえてくる吹奏楽部の音色《ねいろ》。それらがすべて遠ざかるほどに、はっきりとした絢の声があたしの耳を刺す。

「がまんできないから、するね、鞠佳」

確定事項が降《ふ》り注《そそ》いできた。

「だ、だめだってぇ！」

まるでかぶりつくように、キスをされる。

頭を抱きかかえられて、身動き取れないほどにがっちりと固定されてしまう。

絢の舌がぴちゃぴちゃと音を立ててあたしの舌をねぶる。髪をかき乱される。あまりにも獰猛《どうもう》な、口撃とさえ言えるようなキス。

ぷは、と息継ぎするみたいなタイミングで、あたしは猛抗議。

「さっきまでの、猫かぶった態度は、なんだったのよ！」

「私だって、鬼じゃないんだけどね、鞠佳」

「知ってるわよ、この淫魔《いんま》！」

「鞠佳のこと大切だから、できれば傷つけたくないし、いやなことはなるべくしたくない。だから、鞠佳の中で『してもいいかな』って折り合いがつくなら、それがいちばんだったんだ」

「それ結局する流れじゃん⁉」

「でも、そもそも私が鞠佳のこと、わかってなかったね。鞠佳は自分がしてほしくても『してほしい』って言えない子だもんね。察してあげられなくて、ごめんね」

絢のささやきは、まさしく淫魔の誘惑だ。

一瞬、あたしは自分が本気で嫌がってるのか、それとも自分のキャラを守るために嫌なフリをしてるのか、わからなくなってしまった。

いやいやいや、違うよ！　我を忘れるな鞠佳！　ほんとにいやなんだってば！

だって、そのキャラがあたしのアイデンティティーなんだもん！

なのに、身体はとっくに絢のぜんぶを受け入れたがっちゃってるものだから、もう気持ちは支離滅裂《しりめつれつ》。

「してほしくない！　してほしくないもん！」

混乱の隙《すき》に、絢の手がスカートの中に滑り込んでくる。

「やっ、ちょっ……んんっ」

今回ばっかりは、いつもの誘い受けとぜんぜん違う。あたしは本気で嫌がってて、プレイの一環なんかじゃない。ちゃんと、学校なんてぜったいにムリだって思ってる。

なのに、やばい。やばいやばい。

触られた今の感じからすると、これはあたしに非常に不利な展開っぽくて。

「鞠佳」

「い、いわないで……」

「いいけど」

官能的な微笑《ほほえ》みを浮かべた絢が、あたしの首筋を舐《な》める。

唾液《だえき》が皮膚から入り込む毒みたいに、あたしの鼓動を速めてゆく。

「替えのショーツ、必要になっちゃうかもしれないね」

「それはもう、言ったも同然……」

ほんとに嫌なはずなのに……どうしてこうなっちゃうんだろ。やっぱり徹底的に落とされてるってことなのかな……。

「今度、学校にオムツはいてくるっていうのは、どうかな」

「プレイが特殊すぎやしませんか……」

言ってるそばから、またきもちいい箇所を擦り上げられる。

どうにか声だけは我慢しようと喉《のど》を締める。だけど、きょうはそれもうまくいかなくて、絢がなにかするたびに「あっ……んっ……」と短い喘《あえ》ぎ声が漏《も》れた。

こんなの恥ずかしすぎる。目の端に涙が浮かんでくる。

「絢の、ばかぁ……」

やだ、やだやだ、学校なのに……。

「ねえ、鞠佳、きづいてる？　きょうの鞠佳、いつもよりずっと感じてるの」

「あっ、あっ……やぁ……」

机にぺたんと背中をつけたまま、あたしは左右に首を振る。

「うそ、うそうそ……。絢がなにか、してるんだよ……」

「私はいつもと変わらないよ。ううん、いつもよりちょっと、すごいかもね」

絢の言う通り。普段はどんなに責められてても、絢が相当無茶《むちゃ》してこない限りは、受け答えだってちゃんとできる。

「ああっ……いい……い、いいっ……」

なのにきょうばっかりは刺激が強すぎて、あまりの切なさになにも考えられない。

絢にしてもらうのが久しぶりだから？　それとも……。

感極《かんきわ》まったように、絢がささやいてくる。

「学校でえっちするの、やばいね……」

あたしの中身を代弁するみたいに。

うう、あたしは許可してないいんだってば、だめ、だめだめ……。

耳たぶへのキスとともに、絢の甘いささやき。

「私も……すっごく濡《ぬ》れてるよ」

「……っっ」

やば……その想像だけで、軽く達しちゃいそうになっちゃった。

まだ、こすられてるだけなのに……。

ああもう、こないだからあたし、絢も興奮してるんだ、って状況に弱すぎ……。

絢はするすると、あたしの学校用の飾り気のないショーツを引き下ろす。

制服スカートの下がすーすーして、あまりにも心細い。けど、絢がみだらに指を動かすとそんな気分は吹き飛んだ。

ぴりぴりとした痺《しび》れが下半身の感覚を支配して、脊髄《せきずい》から脳までも麻痺《まひ》させてくる。

ああもう、久しぶりの……絢のゆびぃ……。

「ほら、鞠佳。好きでしょ、ここ」

「うぅう……っ」

ぴかっぴかっと光る視界の中、顔を赤らめた絢の瞳はずっとあたしを見据えていて、それがとてもきれいだった。

「鞠佳、好き。好き好き、大好き……」

鼓膜に染《し》み込《こ》んでくる絢の声は、官能の火を燃え上がらせる燃料みたい。

「やめぇ……だめぇ……」

同時に、ずりゅり、と……粘膜の内側がこすられて、あたしは身体の芯《しん》まで絢の指に貫かれたような感覚を覚えた。いっそこのまま、もっと奥まで突き入れてくれたら、なんて……ほとんど無意識だったけど、催促するみたいに腰を動かす。

細くて硬くて滑らかな指は、捕まえようとすると逃げてしまう綿毛みたいに位置を変えて、あたしの入り口を執拗《しつよう》に責め立てる。

かといって、もちろん手加減なんてしてもらえずに。

「あっ、やっ……だめ、あや……あたし、もう……」

小さく泣きそうな声を漏らす。お皿の上のチョコレートのように、机に乗ったあたしは首をいやいやと左右に振り乱した。

「ぴくぴくと指に絡みついてくるね。いいよ、下もドロドロになっちゃって、鞠佳。きもちよくなっていいよ。きもちいいの、好きだよね。いっぱい、いっぱいしたもんね」

「きもちいい、きもちいいよぉ……あや、あやぁ……！」

いつの間にか、上の制服も下着ごとめくりあげられてた。胸の先端にキスをされて、あたしはさらに声と腰を跳ねさせた。

「やぁ……」

さっきから、もう何度も小さく達しちゃってることに、絢はとっくに気づいてる。そのたびに疼《うず》きが集まって、呑み込まれそうになってるってことも。

このまま流されたら、きっと、今まで以上の快感に意識もなにもかも塗りつぶされてしまうだろう。その瞬間がこわくて、待ち遠しくて、おかしくなる。

「鞠佳、すごく、きれいだよ」

絢の指の動きが激しくなる。あたしは快感の階段を、一歩一歩と上らされて、幸せなやらしい気持ちで胸をいっぱいにさせてたのに。

悪魔はあたしの快楽に容赦しない。

「あんなにいやだって言ったくせに」

「──っ」

だって、それは。

「鞠佳ってこんなに簡単にきもちよくなっちゃうんだ。ううん、むしろ、学校だからこそきもちよくなっちゃうんだよね？」

絢が、無理矢理するから。

「ね、みとめちゃいなよ。鞠佳は背徳感も快感に変えちゃう、すっごくえっちで、すっごくいやらしい女の子なんだって」

「ちが――」

「――ちがわない、よね？」

その瞬間、敏感な部分をつまみ上げられた。

「あああああっ」

快楽神経そのものを引っこ抜かれたような、痛いほどに強い快感。

容量オーバーした脳はショートして、目の前が真っ白になる。処理が追いつかず、何度も光が瞬いた。

自分が自分でなくなってしまうみたいな感覚の中、あたしを愛してくれる絢の微笑だけが、キラキラして見えた。

「絢、絢……あぁぁ……」

波は深く高く、しばらくあたしは痙攣《けいれん》を繰り返す。下半身から伝播《でんぱ》した甘い痺れに、後遺症みたいな気持ちよさが何度も腰を揺らす。

落ち着くまでの間、机の上から転げ落ちないように、絢はぎゅっと抱きしめてくれてた。それだけ見境なく刺激を貪《むさぼ》ったのも恥ずかしいし、ひどいことを言われておきながら気持ちよくなっちゃうんだから、ほんとどうしようもない。

呼吸がようやく落ち着いてきた頃に。

「違ってないでしょ？　鞠佳」

「ち、ちが、ちがうぅ……」

ふるふると首を振る。身を起こそうとしたあたしの肩を、絢がまださらに押し止《とど》める。まさか。

あ、あれだけ、息もできなくなるほどめちゃくちゃにしておいて、まだする気……？

「学校で乱れちゃう鞠佳のこと、もっともっと見たいな」

思わず、本能的な恐怖を感じてしまう。

下腹部が怯えたようにきゅうと締まった気がした。こ、殺される……。

「大好きだよ」

もちろん、絢が一回でやめてくれるはずもなく……。

「やだ、やだやだ……きらい、きらいぃ、絢なんて、きらいぃ……」

「そう言えば、私にもっときもちよくしてもらえるって知ってるんだよね。ほんと、えろいんだから、鞠佳。ふふ、腰うかせちゃってるくせに」

「〜〜〜〜っ」

再び絢が、かぶりついてくる。

長く髪を伸ばした絢は、美しい黄金の毛並みをもつ獣のようだった。

口で、舌でされると、あたしの身体がまさしく貪られてゆくみたい。

「鞠佳、バイトの時間って、5時からだよね。まだ少し、時間あるね」

「うぅぁ……あぁっ……！」

あんまりにも余韻《よいん》が熱くへばりついていて、あたしは身をよじって敏感な箇所をずらそうと試みるのだけど、それは絢の強引さを引き出す材料にしかならなかった。

両脚を抱きかかえられるように腕でがっしりと拘束されて、ただでさえ力の入らない身体はすっかり絢のもの。あたしは絢を悦《よろこ》ばせるような声をあげるばかり。

「ねえ、鞠佳……。このまま、カーテンをあけちゃおうか」

自分の心臓の音と、発情した猫のような喘ぎ声ばかりがうるさくて、絢の声はまるでどこか遠くから響いてくるみたいだった。

「学校でどうにかなっちゃう鞠佳の、ほんとの姿。もっといろんな人に、見てもらおうよ」

夢で見た記憶のように、聞き取れない。

絢の言葉はすぐにかすれて消えてゆく。

ただきっと、なにかまたあたしを焚きつけるようなことを言ったんだろう。

そんなの必要もないぐらい、こっちは溶かされちゃってるっていうのに。

「窓から顔をだして、たくさん声をあげて、誰にも気づかれなくても恥ずかしくて。恥ずかしいのがクセになっちゃって、学校でするのがやめられなくなっちゃってさ」

絢が顔をあげる。

だらんと投げ出された脚の間に、絢の指が入り込んでくる。

「あっ、んっ、んっ……！」

「でもね、鞠佳がしあわせなら、私はいいよ」

無理矢理な注射みたいだ。身体はパンクしちゃいそうで泣いてても、あたしの意思とは無関係に快感が注入されてゆく。

「授業をサボってふたりで保健室にこもっていても、休み時間に女子トイレで外に人がいるのに、だれにもいえないようなことをしてもね。鞠佳になら、私はずっと奉仕してあげるから」

なに言ってるかぜんぜんわかんない。

絢の唇から紡《つむ》がれた振動は、頭の中への愛撫《あいぶ》でしかなかった。

「私は、いいからね。他の人なんていなくても、鞠佳さえいれば、私はいいから」

湿って粘ついた絢の声。ただ、それはいつもとどこか違ってて。

痛いほど切実な視線があたしのナカへナカへと入り込んでくる。

「鞠佳がいいなら、ずっとふたりだけでいいから。その代わり、鞠佳のしたいことはなんでもしてあげる。やさしくして、いじわるして、いっぱいしあわせにしてあげるから。ねえ、私だけを感じて、鞠佳。もっともっと、きもちよくしてあげるね」

「……きもち、よく……」

「うん」

絢の指がまたぞりぞりと、あたしの急所をこすり上げる。思わず腰がはねて、きもちよさに
「ひんっ」とピンク色の声が漏れ出た。

一瞬だけ、多幸感のプールから顔を出す。だけど現実のあたしは、学校で恋人にめちゃく
ちゃにされてひたすら気持ちよくなっちゃってる、どうしようもない女の子で。

両手で顔を覆《おお》う。いやいやと首を振る。

「やだ……もう、やだぁ……」

「まりか」

絢が優しくあたしの胸を舐める。唇を尖らせて、ついばんでくる。

下を責めるユビの刺激は、とてもつよすぎて、身体の感覚と心がばらばらになりそう。

「学校でこんなの、ヘンタイだよぉ……やだ、もう、やだやだ……きもちよくなりたくない、
の っ……きもちいいの、もうやだ、いらないぃ……」

駄々《だだ》っ子みたいに首を振るあたしは、絢のおもちゃみたい。

「いいから、もぉ……やめ、やめてよぉ、絢……。これいじょう、やだぁ、きもちよくならな
い、なりたくないからぁ……」

ずっと降りてこられなくなっていたあたしにとどめを刺すみたいに、絢があたしにキスをしたまま、両手を下のほうへと動かした。

「いっぱい、きもちよくなろうね、鞠佳」

「やだ、やだぁ、あ、あ、あぁ……やっっ！」

血管を駆け巡っていたきもちよさがたった一点に集まって、やがて絢の指先に押し潰され、ビッグバンみたいに弾《はじ》け飛んだ。

全身がけいれんして、あたしの小さな身体は女の子の悦びに震えた。

そして、あたしは天国へと落ちていった。

「きもち、よく、なっちゃぅ……っ」

あるいはそれが最期《さいご》の言葉だとしたら、絢だってきっとこの強引な行為を反省してくれるだろうな——と、あたしのわずかに残った自我がつぶやいて、やがてそれも真っ暗になった。

こうして、あたしは友達と後輩に抱きつかれただけなのに、とんでもない目に遭わされたのだった……。うう、ストレス、ストレスが～～……。


うんざりするほど気持ちよくさせられて、あたしはぼうっと天井を見上げる。

絢は鞄からウェットティッシュを取り出して、あたしの汚れたところを優しい保育士みたいに拭いてくれた。

しばらく絢は、なにも言ってこなくて。

ただ、その頬が赤い。

「絢」

「ごめん」

珍しいこともあるものだ。

真っ先に絢が謝ってくるなんて。

「ちがうから」

「ん……」

「私は、学校で人気者の鞠佳のこと、憧れてて、大好きだから。私にも、ちゃんと大切な人はいるし……だから、あれは、ちがうから。ほんとに思ってるわけじゃなくて……」

顔をそらした絢が、なにに謝ってるのか、わからない……。

あたしがいっぱいいっぱいになってる間に、なにか言ってた気がするけど……。

「あー……あれね」

とりあえず、話を合わせてみる。

「絢があんなこと言うなんて、ちょっと意外だったけど」

「それは……」

絢が恥ずかしそうに瞳を揺らす。

「なんか、そういう気分になっちゃうときもある、ってだけで……。私はそんなに心が狭いわけじゃないから。……ほんとに」

話せば話すほど、どんどんと絢の顔が赤くなっていった。

「ああいうこと、もう言わないから……。だから、わすれてほしい」

しどろもどろになる絢はあまりにもレアで、えっちの最中いったいなにを口走ったのか、すごく気になる……。

と、怪訝《けげん》そうな顔をしてると気づかれた。絢はあたしのことをすぐ気づくので。

「……………鞠佳。もしかしてだけど。なんの話をしてるか、わかってない？」

あたしは悪びれず、こくりとうなずく。

「うん」

「……」

絢は「んっ」と小さく咳払《せきばら》い。

「なんでもない」

「いやでも」

「愛してるよ、鞠佳。ありがとね」

「………………」

頬にキスされて、あたしは黙り込む。

アブノーマルな行為で、あたしと同じように、絢もどこかヘンになっちゃってたんだろうけど……なんか釈然としない。

あたしは絢を、じろりと見上げる。

「……てか、あたしこそちがうからね。学校でなんて、最後までＯＫしたわけじゃなかったからね」

「そうだね」

絢は早々に取り繕って、もう綺麗《きれい》なお澄まし顔。

「嫉妬《しっと》に狂ったいやらしい私が、どうしてもしたいってわがまま言うから、させてくれたんだよね。鞠佳はほんとにやさしいね」

「そ、そこまでは言って……」

「ただ鞠佳も、とってもきもちよさそうだったけどね」

「うぐ……」

……なんかもう、ぜったいに越えちゃいけないラインを踏み越えてしまったみたいな感覚がある……。ありえない、学校でとか……。

「ほんと、そんなんじゃないから。きょうのは……その、たまたまだから」

もはや言い訳の言葉も枯れ果てたあたしに、絢はなぜか困った風に眉《まゆ》を寄せた。

「でも、これに味をしめたからって、私の前で他の子としょっちゅう抱き合ったりしちゃだめだよ。わざとやってるってわかったら、次は教室で押し倒すからね」

「ひい」

まったく冗談に聞こえなくて、思わず悲鳴が漏れた。

あたしは身を起こして、ショーツを穿《は》き、服を整える。

「だから、違うんだって……あのね、絢だから言うけど」

さすがに身の危険を感じたので、打ち明けてしまおう。

「……実は今、夏海ちゃんの片思いの手伝いをしててさ」

もちろん絢を信頼してるからっていうのはあるけど、同じぐらい自分の尊厳も大事なのだ。脱水症状で死にたくない。

「それでその、祝嶺晴ちゃんっていう後輩ちゃんと、三人で話してて……その流れで、なんかハグすることになったんだよ」

口に出せばそれだけのことなのに、問答無用で絢に押し倒されたのは釈然としないけれど……。まあ、あたしもコソコソしてたし、絢も不安だったのかもしれない。

絢ってば、割と思い込みの激しいところあるし。そこがかわいいんだけど……。

晴ちゃんがあたしのことを好きかもしれないっていうのは、口が裂けても言えないけどね！言ったらどうせあたしがまたえっちなお仕置きされるんだ！　理不尽！

「祝嶺晴。一年生の子？　バドミントン部の？」

「うん」

絢はぼんやりとなにかを考えてるような顔をした。

「え、知り合い？」

「っていうか」

絢は形のいい顎に手を当てて。

ためらいながら、口を開いた。

「私、そのこ子に告白されたことあるよ」

まじ？

話をまとめると、こういうことだ。

絢《あや》が晴《はる》ちゃんに告白されたのは、去年の9月。夏休み明け。

その時点で、すでに絢はあたしと付き合ってた。

なので、絢はお断りする際、晴ちゃんにあたしのことを伝えたらしい。

『ごめん、あなたとは付き合えない。私もう付き合ってる子がいるんだ』

そう言って、断ったんだとか。

駅までの帰り道。あたしと絢は並んで歩いてく。

絢は少しうつむいて、申し訳なさそうにしてた。

「勇気を出して告白してもらったからって、相談もせずに、名前まで言っちゃってごめんね」

「いやいや、それは別に……誠実だと思う」

口を滑らせたことを反省してか、絢が首を振る。

「付き合い始めたばっかりで、私も浮かれてたんだ」

「おいこら」

手の甲でびしっと絢の胸を叩《たた》く。うかつだぞ。

「しかたない。夢みたいなバラ色の日々だったから」

「そ、そこまで言う？」

「毎朝スキップで学校いってた」

「うそつけ！」

無表情でスキップする絶世の美少女を想像して、あたしは怖くなった。話を変える。

「それで、その、お相手の方は？」

「うん。ありがとうございました、って言ってたよ。包み隠さずに話してくれて、って。やっぱり私たちが付き合っていることは、公表したほうがいいんじゃないかな」

「確かに……ってなるわけないでしょうが」

そりゃ、絢がいまだに女子に告白されてるんだ、ってところはモヤッとしたけども。自分のカノジョがモテるのは嬉《うれ》しいような、どことなく不安になっちゃうような……。いやいや、今さらだけどね。モテる絢はバーでさんざん見せつけられてるし！

「もしかして鞠佳《まりか》って……」

絢がまたろくでもないことを思いついたような顔をした。

「先に言っておくけど、ぜったいに違うから」

「ごめん、私はスワップとか寝取られだけは、守備範囲外なんだ。創作物で摂取するなら食べられるけど、鞠佳を他の人に抱かせたりとか、本気で無理。想像するだけで不快」

「違うって言ってんでしょうが！」

あたしは声を震わせた。ただでさえバイト前に足をがくがくにさせられたのに、これ以上、余計な体力使わせるんじゃないよ！

「まあ、こっちは、それだけの話」

「そっかあ……」

それにしても、晴ちゃんが絢を好きだったなんて。

バレンタインデーも近くになって、とんでもない事実を知ってしまった。

やっぱり、あんなに直感的な子が、恋心を内に秘めてるなんてありえなかった。晴ちゃんはとっくに自分で行動して、ちゃんと告白してたのだ。

そうかー、好きな人はあたしじゃなくて、絢だったのかー……そうかー。

でも、うん。ちょっとホッとする。

夏海《なつみ》ちゃんに合わせる顔がないと思ってたのは、あたしの早合点《はやがてん》でよかった！

ただ、喜んでもいられない。ここから先はあくまでも想像だけど。

「……晴ちゃん、絢のこと、まだ好きなんじゃないかな」

「そうなのかな。時々、視線は感じるかも」

「……」

じゃないかな、って言ったけど、あたしはほぼ確信しちゃってた。

だって、カノジョであるあたしの髪ゴムを真似《まね》してるとか……それってつまり、絢の好みに合わせて、絢の心をゲットしようって健気《けなげ》に努力してるってことだと思う。

あたしを抱きしめて興奮してたのだって、間接ハグで絢を感じてたってことだったり……それはじゃっかんヘンタイっぽいけど。

晴ちゃん、どんな気持ちであたしと話してたんだろうか。

憧《あこが》れの絢の心を奪った恋敵、だよねえ……。

「うーん……」

なんか、晴ちゃんの気持ちまで考えすぎちゃうと、軽く凹《へこ》んじゃいそうだ。

絢が顔を覗《のぞ》き込んでくる。

「どうかした？　鞠佳」

「や、ちょっとね。大丈夫」

あたしの様子を気にしてくれてる絢。

小さく笑いかけるも、心配そうな顔をしてた。

まったく、あたしに学校であれだけのことをしておいて……。

なのに結局、絢を憎めないのは、すっごく優しいところを知ってるからだ。ってこれ、なんかドツボにハマってない？

「絢はずるいなあ、って思って」

「そう？」

「うん」

「だったら、似た者同士だね」

「えー？」

あたしはいつも素直でかわいくしてるつもり……実際できてるかは置いといて……。

口を尖《とが》らせながら、尋ねる。

「ちなみに、一瞬でも心が揺らいだりしなかったよね？」

「それは、あたりまえ」

絢はまるで拗《す》ねるみたいに答えてきた。

「他のひとに目移りなんてしないよ。私は、ずっと鞠佳に夢中だから」

その何気ないぽつりと言われた一言が、あたしの胸にぐさーっと突き刺さる。

まったくもう、まったくもう。

「絢はずるい！」

そう言うと、絢はちょっとびっくりしてから、すぐにあたしの意図を理解したみたいに微笑《ほほえ》んだ。

「そうだよ、しらなかったの？」

あたしは、すぐ調子に乗る絢の背中を、ぺしぺしと叩く。

「知ってたよ最初から！　ずーっと、、、ね！」

「ていうか一件落着した気配出してたけど、問題はなにも解決してなくないか⁉」

絢と別れて向かった先。ファミレスでのバイトが終わり、はたと我に返ったあたしは思わず更衣室で叫《さけ》んでしまった。

退勤時間が被《かぶ》って、隣で着替えてたバイト友達の榎本冴《えのもとさえ》が、ぎょっとしてこちらを見る。

「わっ、びっくりしました……。あの、鞠佳ちゃん。いくら情緒不安定でも、更衣室で叫ばないでもらえませんか？」

「ごめん！　でも、叫ぶ側には叫ぶ事情というものもあるんだ！」

「世界が自分を中心に回っているとお考えの方……？」

よくわからないことを言う冴は、あたしの周りじゃ意外と珍しい黒髪美人だ。ていうかうちの高校が、主張の強いやつしかいないからな……。誰《だれ》が類友だ。

冴は髪のケアには人一倍気を遣《つか》ってるみたいで、更衣室の安っぽい蛍光灯の下でもそのキューティクルがピカピカに輝いてる。

話しながら、冴が制服を脱《ぬ》ぐ。すると、冴のボリュームある胸の谷間が見えて、ついついそちらに視線が引き寄せられてしまう。致し方なし……。

「鞠佳ちゃん、きょうの接客も集中力なかったみたいでしたけど、大丈夫ですか？　足に力が入らないのか、フラフラとよろけたりもしてましたよね」

「セクハラだぁ！」

「心配しただけで⁉　そんなに厳《きび》しい世の中でしたか令和《れいわ》！」

冴が悲鳴をあげた。

あたしは熱くなった顔を隠すみたいに、ロッカーを開く。

「いやー、それはいいんだけどさ」

「足に力が入らない……。あ、わかった、ちょっとスクワットがんばっちゃったんですね！冬って無理してでも運動しないと、すぐ脂肪蓄《たくわ》えちゃいますよねえ」

「ああうん、じゃあもうそれでいいや」

「ということは、他になにか……？　ジョギング、踏み台昇降、縄跳び……」

「冴ちゃんってひょっとして、キスしたら子供ができちゃうよね、みたいなことを言うタイプなのかな」

「えっ？」

しまった。またしてもやぶ蛇《へび》だ。

ほんとのことを想像されても困るのに。くっ。

黒髪から覗く冴の耳は真っ赤《まっか》だった。

「きゅ、急になにを言い出すんですか、鞠佳ちゃん……き、キスとか……い、いやらしいですよ……」

えっ？

冴ちゃん、まじで？

「ま、鞠佳ちゃんがそんなことを言い出すなんて、びっくりですよ」

「え？　あ、そう……？　あたしよく遊んでそうって言われるんだけど」

「その人たちはみんな目が曇ってますね。鞠佳ちゃんほど無垢《むく》な乙女《おとめ》は他にいませんよ。優しくて、清廉潔白《せいれんけっぱく》で、自分よりも人のためにがんばれる、とっても素敵な女の子です。時代が時代なら、世界を救う聖女として降臨していたに違いありません」

目が曇ってるどころじゃない。なにも見えてない。

いや、見えてるんだろう。瞼《まぶた》の裏に冴のメルヘンワールドが……。

まあね、確かにね。あたしも絢に会うまではキスだってしたことなかったし、ある意味では冴の言うことも一部正しいのかもしれない。

ここに来る前に学校でなにしてたかっていう記憶を、根こそぎポイ捨てできたらだけど！

「ですから鞠佳ちゃんは、どうぞそのまま穢《けが》れなき美少女として、この汚れた大地の上でいつまでも気高く咲き誇ってくださいね……。鞠佳ちゃんがかわいいので、わたしはきょうも生きられます……」

「あ、はい」

愛する人と体を重ねることが穢れとは思わないけど、冴に言ったところで仕方ないだろう。あたしは世界を救う聖女らしいし。

どうしよう、気まずくなってきた。もうこの話やめよう。

ええと。

「ねえ、冴ちゃん。人生の一年先輩である冴ちゃんを見込んで、ちょっと相談したいことがあるんだけど」

今の話の流れからこれを言い出すのはかなり勇気がいったけど、話を変えるのには大成功した。

「えっ」

冴の表情が、お菓子《かし》をもらった幼児みたいに、ぴかーと輝く。

「鞠佳ちゃんが頼ってくれてる……？　わたしでいいんですか⁉」

「う、うん。学校の友達には相談しづらいし、かといって可憐《かれん》さんに毎回頼るのもちょっと恥《は》ずかしいし……」

クリスマスにバーで絢にキスされて以来、微妙に行きにくくなってるっていうのもあってね……。別に冷やかされたりはしないんだけど、他のお客さんに『わっ、アヤちゃんのカノジョさんだぁ……』ってキラキラの目で見られたりするからね……。

ちなみに冴はキスの現場は見てなかったらしく、『なにかあったんですか？』となんでもない顔をしてた。気を失ってたのかもしれない。

というわけで、あたしと絢が付き合ってることを知ってる＋バイト友達の冴が立ち位置的にちょうどいいかなって。

ただ、ちょうどいいのは立ち位置だけかもしれない。冴が人の相談を上手に受け答えできるイメージがまったくない……。

「手頃《てごろ》に話を聞いてもらいたいだけだから、別に、そう意気込まないでね？　なんだったら、道端のお地蔵さんでもいいぐらいの気分なんだけどさ。ね？」

冴は静かに首を振って、胸（の谷間）に手を当てる。そして、見た目だけはデキる女っぽい笑みを浮かべた。

「いえ、鞠佳ちゃんには公私ともにお世話になっておりますから。ここで恩を少しでもお返しすることができるなら、本望です。さあ、いきましょう」

「いやまだ着替えてないから！　冴ちゃんも上、ブラのままだから！」

早まったかもしれない。これ以上、問題を増やしてどうするんだあたしは。

そうして、冴ちゃんに手を引かれながら、冬の公園へと向かうのだった。

ちなみにここは冴に刺されかけた曰くつきの公園でもあるんだけど、とうの本人はブランコで隣に座りながらニコニコとあたしを見つめてる。

冴は確かにやばいところもたくさんあるけど、バイトの仕事は丁寧《ていねい》だし、几帳面《きちょうめん》で頭もいい子……だと、思う瞬間もある。人としては好きなんだ。人としては。

近くの自販機で買った温かいコンポタの缶を握りしめながら、どう切り出したもんかと悩む。手のひらを見下ろし、指折り数えながら。

「バイト中考えてたんだけど、とりあえず三つの問題があって」

「ああ、だからお仕事中、注意散漫で……」

「ミスはしませんでしたし！　Bランククルーの務めは果たしてるもん！」

「そこは心配してませんが……それで、その三つというのは？」

相談のお礼にオゴったおしるこに口つけた冴が、あたしを促《うなが》す。

ひとつはもちろん、友達（夏海ちゃん）の片思い相手が、絢に片思いをしてること。

そう告《つ》げると冴は、なぜかしたり顔。

「不破《ふわ》は昔から、モテますからね」

絢学の第一人者みたいな態度で述べてくる。

「いつもクラスの隅にぽつんと座ってる、ひとりぼっちのミステリアスな美人なんて、みんな大好きですから。ワンチャンいければ人生の逆転ホームランですよ」

「なんで童貞男子みたいなことを言い出すんだ。ていうか、ほとんど接点ないような相手、どうして好きになっちゃうんだろ……」

「それはもう容姿が」

「わかるけど！　絢が美人っていうのは誰よりもあたしがよく身にしみてわかってるけど！　でもそれって性格の1を10にしたり、5を50にしたりするものじゃないの？　理解0の相手はどんなに顔がよくても0でしょ？」

　冴があたしに生温かい視線を向けてきた。

「それはね、鞠佳ちゃんも顔がいいからですよ」

「いやいやいや」

「顔のかわいい子は、鏡を見るたびに顔がいいので、顔のいい相手の基準が軒並み引き上がるんですよ！　顔のかわいいはそれだけで国家遺産なのに！」

「冴ちゃんほんとどのポジションで話してるの？」

　あたしに関しては納得しかねるけど、実際、絢は優しくて性格もいいからなあ。

　いやいや、カノジョの惚気《のろけ》とかじゃなくて、ほんとにほんとに。

　だから、告白してくる相手は、佇《たたず》まいからその辺りを見抜いてる可能性もないとは言い切れないんだよなあ！

「しかし、その片思いに関しては、鞠佳ちゃんが悩む必要なんてないいんじゃないんですか？　だって、友達の恋なんですよね」

「いや、そりゃそうだけど……。でも、協力してって頼まれたし……？」

「鞠佳ちゃん……」

「いやいや、違うんだってば。これだとなんかあたしがめちゃくちゃいいヤツみたいに聞こえるかもだけど、ぜんぶあたしのためだから！　友達の恋が実れば、ほら、楽しいじゃん⁉」

ブランコをきいきい揺らしながら主張するんだけど、同意してもらえなかった。

「わたしは友達いないので、よくわかんないですね……」

「そ、そっか……」

理由が、あんまりにあんまりで、本当に相談相手として適正なのかどうかだいぶ心配になってきちゃったな。

冴は、あたしの顔色を窺《うかが》いながら。

「でも、だったらやっぱり、一緒にやってるチョコレート作りをがんばって、想《おも》いをちゃんと伝えるぐらいしかないんじゃないですか？　近道はないと思いますよ」

近道はないという言葉が、やけにグサッと刺さった。

「うーーん、そうかあ……」

思った以上にまっとうなことを言われて、納得の塊を呑《の》み込む。

あたしは、晴ちゃんが夏海ちゃんを好きになって、すべてが丸く収まる魔法みたいなアイデアを探してたんだって、気づかされてしまう。

「……そうだよねえ」

確かに、人の恋路に関しては、応援する以上のことなんてできない気がしてきた。あたしは頼まれたことを一生懸命やって、それ以降は夏海ちゃん自身が解決しなきゃいけない。そういうことなのかもしれない。

う〜ん……。

なんだろ、あたしやっぱ調子に乗ってたのかな……。

余計なことをしようとしてた自分を、恥じて反省。

それとともに、冴をちょっと見直した。

「冴ちゃん、ちゃんと先輩できるんだね……。絢のことしか興味ないんだとばかり」

「そもそもわたしが不破に興味があるんじゃなくて、不破がわたしのことを徹底的に嫌っているから、わたしも意識せざるを得ないんです。順序が逆なんですよ。不破が原因で、わたしはその影響を受けただけ。ただそれだけの話です」

ちゃんといつもの冴だった。よかった。

だけど、冴はそこでドヤ顔を引っ込めて、視線を落とす。

「っていうか……中学で不破といろいろあって、さすがにわたしも人間関係について悩んだっていうか、考えることにしたっていうか……」

「な、なるほど」

「そうせざるを得なかった、ってだけの話ですけどね……ふふっ……」

絢は一度居場所を失ってから、もう一度バーが自分の居場所になるようにがんばってたんだけど、冴も同じような経験をしてきたのか。そりゃそうだよね。冴は刺そうとした側なんだから。その後の学校生活とか、気まずいなんてもんじゃなかっただろうし。

あたしはその場その場で悩むことはあっても、基本的には器用で挫折《ざせつ》知らず。順風満帆《じゅんぷうまんぱん》な学校生活を送ってきたから、深く考え込むことがなくて……。

え、ひょっとしてあたしって……。

……めちゃくちゃ浅いやつ？

「やば、どうしよ」

頬《ほお》に手を当てて、焦《あせ》る。冷たい風が胸の中まで吹きつけてきた気分だ。

「それで、あとふたつの悩みは？」

先輩っぽい顔で促してくる冴が、一歳しか違わないのに、大人びて見えてしまう。

悩みの内容は、知沙希《ちさき》と悠愛《ゆめ》とアスタの三角関係のことと、絢があたしに一歩踏み込んでくれないって話なんだけど……。

あたしはちょっと残ったコンポタを飲む気にもなれず、白い息をはく。

「ごめん、冴ちゃん。あたし、なんか安易に人を頼りすぎてたかも……もっとちゃんと、自分で考えなきゃ」

「あら、鞠佳ちゃんに頼ってもらえるのは嬉しかったですけど……そうですか？」

「うん、せっかく付き合ってくれたのに、中途半端《ちゅうとはんぱ》でごめんねえ」

思ったより自分の心に響いてしまったようだ。

あたしがごめんねのポーズを取ると、冴はちょっぴり顔を曇らせた。

「うーん、でも、鞠佳ちゃんを迷わせたいわけじゃないですけど」

友達として、忠告をしてくれる。

「鞠佳ちゃんは、人に相談するのが上手なんですから、自分の武器を有効活用するのは、悪いことじゃないと思いますよ。人の力を借りることができるのって、鞠佳ちゃんの最大の強みじゃないですか。という、個人の感想です」

「うっ、早々に決意が揺らぐ！」

自分の進路を指す羅針盤の針が、ぐるんぐるん回ってる。

「け、けど、やっぱもうちょっと自分だけでしっかりと考えてみるべきだとは思うから」

「それはそれで、いいと思います。でも、もし困ったらいつだって声をかけてくださいね。いつもお世話になっている鞠佳ちゃんにとって、わたしはいつまでも都合のいい女でいますからね……友達関係を切られないために……」

やけに従順な笑みを浮かべる冴に、思わず眉《まゆ》をひそめる。

「え、なに。嬉しいけど、どうしたの冴ちゃん。まだあたしとワンチャン狙《ねら》ってたりするの？

絢と付き合ってるからムリだよ」

　そう言うと、冴は憎らしげに笑った。

「狙ってません。だいたい、鞠佳ちゃんは趣味悪いですから、不破のどこがいいのかさっぱりわかりませんし。頭がよくて、運動ができて、街を歩けば誰もが振り向くような美人で、気遣いもできて、不器用だけど優しくて……そんな不破のどこがいいんだか」

「それもうぜんぶ自分で答え言ってないか？」

　冴は頭の上にハテナマークをたっぷりと浮かべていた。おい。

　ともあれ、話を聞いてもらったお礼、というわけじゃないけども。

「ところで冴ちゃんのほうの進展は、どうなの？」

「なにがですか？」

「クリスマスにバーでお知り合いになった、お姉さま方は」

　冴が大勢の女性客に、恋人募集中の女子高生という体《てい》でお喋《しゃべ》りをしてもらっていた話だ。

「いやですねえ、鞠佳ちゃん」

　口元に手を当てて、冴は上品に微笑んだ。

「きれいなお姉さん方にたくさんかまっていただいて、連絡先をいっぱいもらったぐらいで、人見知りのわたしが不自由なくコミュニケーションできると思いますか？　当然、ひとり残らず未読スルーですよ」

「胸を張って言うことじゃなくない⁉」

どうか冴ちゃんに大学でいい出会いがありますように……と、あたしは祈らずにはいられないのであった。でもこの件だけは、あたしは首を突っ込まないからな！　勝手に幸せになってくれ、冴！

夏海ちゃんと晴ちゃんのことについては納得して、あたしは次の悩みに挑みかかる。

もしかしたら余計なことかもだし、ぜんぜん無駄になっちゃうかもだけど……やっぱり黙ってみてられないもん。

その日、おうちに帰って、具体的なプランをどうすればいいか考え込んだ結果、知沙希かアスタにメッセージを送ることにした。あたしはやると決めたらやる女。

といっても、それならやっぱ知沙希かなー。

しかし、今度は文面に悩む。

ベッドにごろごろしながら、スマホを額に当てて、うーんうーんと考え込む。

いきなり『最近、悠愛とどう？』みたいなのは直球すぎるし。

かといって、アスタの話をするのも、唐突すぎだよなあ……。

明日学校でさらっと聞いてみるかな。メッセージだと逆に深刻さが出ちゃいそうだ。

そう思った矢先、画面にポンっとメッセージがポップアップした。あたしはなにも打ち込んでないのに。

知沙希だ。

げ、このタイミングで。普段、メッセージなんて送ってこないくせに！

『明日ちょっと付き合って』

いつもどおり簡素な短文だから、なにを考えてるのかはぜんぜん読み取れない。

ＯＫのスタンプを送りつけつつも……。

嫌な想像が、脳裏《のうり》をよぎる。

もしも知沙希のこれが深刻な相談だったとしたら……。

実は悠愛と別れようと思ってるんだけどさー、みたいな感じのやつだったら……？

……仲良しグループが崩壊するか存続するか、そこであたしがなんて言うか次第になっちゃうってことない？

うわー……。

しんどい！

あたしは枕《まくら》に顔をうずめながら、足をバタバタと動かした。

『鞠佳ちゃんが悩む必要なんてないんじゃないんですか？』という冴の声が蘇《よみがえ》る。

そりゃそうだ。あたしがなにをしようが、できないことはできない。世の中は甘くない。なるようにしかならないのだ。

でも、でもさ！　だからって最初から諦《あきら》めてやらないのだけは、ナシ！　そんなの榊原《さかきばら》鞠佳じゃないもん！

それに、絢はきっとこんなしんどい夜を何度も越えて、今に至ったんだ。

だったら、あたしだってやらなくっちゃ。

あたしは立ち上がり、いつまでもうだうだしてないで、浴槽《よくそう》を洗うためにお風呂場《ふろば》へと向かった。明日の戦う力を取り戻すために、きょうはいちばんお気に入りのバスソルトを入れようじゃないか。

がんばれ、がんばれ鞠佳！

＊＊＊

翌日の放課後、どんよりと曇った冬空の下。

知沙希とともに向かった先は、駅前のカフェだった。

どこか既視感のあるシチュエーション。

そうだ。胸がドキドキしてるのも合わさって、なんとなく初めて絢に呼び出された日のことを思い出してしまった。

TVアニメ化決定の話題作！
ドラマCDも聞き逃すなっ！
友達の妹が俺にだけウザい9
ドラマCD付き特装版
2022年
1月15日頃
発売予定！
著●三河ごーすと
イラスト●トマリ

【予約注文書】 書籍扱い（買切）

この注文書に記入して、お近くの書店へお申し込みください。

【書店様へ】お客様からの注文書を弊社、営業までご送付ください。

（FAX可：FAX番号 03－5549－1211）

注文書の必着日は商品によって異なりますのでご注意ください。

お客様よりお預かりした個人情報は、予約集計のために使用し、それ以外の用途では使用いたしません。

限定版は書籍扱いの買取商品です。返品はお受けできませんのでご注意ください。

発売日 2022年1月15日頃

友達の妹が俺にだけウザい9
ドラマCD付き特装版

ISBN:978-4-8156-1226-9　価格　2,970円

お客様締切 **2021年11月5日（金曜日）**

弊社締切 **2021年11月8日（月曜日）**

部

住所

名前

電話番号

書店印

「い、いやあ、きょうも寒いねー。雪が降らないだけマシだけどさー」

「そうだな」

「早くあったかくなってほしいよねえ。春は春で、最近は花粉症がしんどいんだけどさ」

「うん」

……話も盛り上がらないし、隣を歩く知沙希の横顔は、いったいなにを考えてるのかもわからない。

知沙希と悠愛。ふたりともあたしの大切な友達だし、幸せになってほしい。けど昨日冴と話したとおり、最終的に着地点を決めるのはふたりだ……。

もし別れることになっても、それがふたりの考えたことなら仕方ないなって、思わないといけないんだろうけど……。でも、でもでも！

あんまりでしゃばったことはしないようにしつつ、みんなで幸せになれる道があればいいんだけどなあ……！

そんな、難易度高いミッションを己《おのれ》に課したのは、あたし自身だ。とりあえず受け答えのパターンはめっちゃたくさん考えてきた。あとは本番をやり遂げるのみ……。

カフェに到着。注文したカフェラテを受け取って、二階にあがる。

窓側の席に、キラキラと輝く、見知った顔があった。

店内の美女濃度を特盛で上昇させてる女――不破絢である。

「既視感どころじゃない！」

しかも絢の手元にはブラックコーヒー。あの日の再現か？

「あたし、今度は絢と知沙希に百万円で買われるの？」

「なに言ってんのマリ」

立ち止まってると、後ろからトレイで背中を押された。ふたりに挟まれて着席したテーブル席で、あたしはなにが始まるのかわからずストローに口をつけて様子見の姿勢。

いや、絢と知沙希が最近ずっと仲いいのは知ってたけど……なになに。ほんとなに。

あたしの空気読みスキルでも、なにが起きるのかぜんぜんわからない！

「ええと、とりあえずわたしから話すけどいいよな？」

「うん」

ふたりがアイコンタクトするのを見て、ちょっぴり胸がチクッとする。

いや、別にふたりが仲良いのはいいと思うし。そもそも絢をグループに引き込んだのはあたしなわけで。嫉妬《しっと》とかじゃないからこれは！

「最近、アヤに相談に乗ってもらっててさ」

「な、なんの」

形だけの疑問符を投げかける。けど、絢に聞くことなんてひとつしかない。

アスタ絡みに決まってる。

あーやっぱり……という気持ちのまま、あたしはやけに苦いカフェラテを飲み込む。

知沙希は目をそらして、口元を隠すようにしてぽつりと。

「……ユメの」

あれ⁉

絢を見る。素知らぬ顔でブラックコーヒーを飲んでた。

説明をぜんぶ知沙希にブン投げてる！

こういう肩の力の抜き方、すごいと思う。真似はできる気しないけどさ！

「えっ、悠愛の相談って、なに？　どゆこと？」

「うん、まあ」

知沙希にしては、珍しく歯切れが悪い。これ、まだまだ気が抜けないぞ。

やっぱり、言いづらいことなんじゃないかって、お腹に力を込めたままにする。

「付き合って一周年記念でさ」

「うん」

知沙希の頬が赤い。

「それで、どうしよっかな、ってさ」

ははは、とごまかすみたいに知沙希が笑った。

うん。

……えっ⁉

終わり⁉

あたしひとりがあたふたしたテンションで、尋ねる。

「待って！　別れるとか別れないかって話じゃなかったの⁉」

「え、なんでそうなるんだ」

「だって……」

ぜんぶ、あたしの勘違いだったたってこと……？

悠愛が言ってた『最近ちーちゃん冷たい』ってのも、悠愛の杞憂《きゆう》だったたってこと？

そんな……そんな！

「いや、だとしてもさ！　あたしきょうここに呼び出されたの、付き合って一周年をお祝いしたいけどぜんぜん思いつかないシャイな知沙希《ちー》ちゃんのアイデア出しのためだけってこと⁉」

「おいマリ……」

睨《にら》まれるけど、微塵《みじん》も怖くない。

代わりに絢がくすりと笑った。

「そういうことだね」

だったらＬＩＮＥで最初にそう言えよ、とか、紛《まぎ》らわしい言い方してるんじゃないよ、とか、不満の言葉はいくらでも浮かんでたけど……。

なんだか胸が詰まって、言葉が出てこない。

「だから嫌だったんだよ、マリ誘うの……ぜったいイジられるじゃんか」

拗《す》ねた風に口を尖らせる知沙希。頬杖《ほおづえ》をついてそっぽを向く。

しかし彼女は、ちらりとあたしを見て「え？」と意外そうに口をあけた。

「マリ、なんか……え？　泣いてる？」

「……鞠佳？」

まったく自覚がなくて。

しばらく、自分が言われてるってことに、気づかなかった。

「へ？」

潤《うる》んだ目をゴシゴシとこする。

ほんとだ。ボロボロ泣くほどじゃなかったけど、目に涙がにじんでた。

きっと、全身の緊張が一気に解《と》けてしまったからだろう。

あたしはぐったりとして、椅子《いす》に体重を預ける。

「いや、だって、だってさ……。知沙希、なんか最近挙動が怪しかったし、もしかしたらふたりが別れるのかなって思って……」

うわ、ハズ。頭は冷静なはずなのに、感情が高ぶりすぎて、声が震えてしまう。

違うんだよって弁解したいんだけど、これ以上喋るとほんとに涙が流れ落ちちゃいそうだ。

もどかしい。

するとき、絢があたしの手をぎゅっと握ってくれた。いや、なんかごめん。

知沙希も、困った顔であたしを覗き込む。

「……だからって、なんでわたしたちが別れて、マリが泣くんだよ」

それは、だって。

「ふたりとも、あたしの友達だし……。友達が悲しい思いをするのは、嫌だし……」

「まったく……」

友情に弱い知沙希は、泣き笑いみたいな顔で笑ってた。

「心配かけて、悪かった。……てか、わたしたちそんなに別れそうに見えた？」

「知らないけど……なんかアスタとよく連絡取ってるって聞いたよ」

「はあ？　どうせ言ったのユメでしょ。あれはあの子の相談に乗ってただけだって」

「相談って……？」

その言葉に、涙が引っ込んでく。

アスタの相談とか、悪い予感しかしないんだけど……。また『３Ｐしよ！』ってお誘いしてきたのでは、と眉をひそめる。

けど、知沙希の声のトーンはあくまでも自然だった。

「うちの高校受験するみたいでさ」

「えっ⁉　あいつが⁉」

「それでいろいろとアドバイスしてたんだよ」

め、めちゃくちゃまっとうな理由だ。

え、なに？　アスタ、北沢《きたざわ》高校来るの？

あいつが後輩に……？　大丈夫か治安。

「最初はアヤに聞いてたらしいんだけど、頭がよすぎて言ってる意味がわからないって言われてさ」

「いや、でも、だったらふつうは次、あたしに連絡してくるんじゃ？」

あたしも連絡先は交換してあるし。

「マリに連絡すると、ご主人様がうるさいから、って言ってたよ」

絢を見るも、弁解すらしてこなかった。

「アスタは危険だから」

まあ、それは、うん。

知沙希が肩をすくめる。

「ほんとアヤは過保護なんだから。あいつは、なんでもないただの中学生だって」

本性を知らないだけだぞ、知沙希。あいつ初対面であたしにキスしてきたんだからな。

でも、とりあえず知沙希はアスタの毒牙《どくが》にはかかってないみたいでよかった。

ぜんぶ悠愛の思い過ごしだ。知沙希はちゃんと悠愛のこと、大事にしてた。

はぁぁぁ……とあたしは大きなため息をつく。

「なんだ、そうだったんだ……よかったぁ……」

話が一段落ついたタイミングで、絢が知沙希に責めるような視線を送る。

「鞠佳を泣かせた」

「……悪かったよ」

いや別に泣いてません。これは目から水が出ただけ……。

知沙希は嘆息する。

「っていうかユメのやつ、なんでもかんでも疑いすぎなんだよ。こういうの、今に始まったことじゃないからね。人のことどんだけ信用してないんだっての」

「それは、確かにそうかもだけど……」

あたしはちらりと絢を見た。

不安になっちゃう気持ち、あたしにはすごくわかる。

知沙希は絢と一緒で言葉が足りないタイプだし。

悠愛があたしと違うのは、あたしはグイグイ行くけど、悠愛は恋愛体質で寄りかかっちゃいがちなのに、自分から相手を問い詰められないビビりな性格だってことだ。

「……まあ、付き合った相手が、そのまんま最高の相性《あいしょう》ってわけにはいかないからさ」

知沙希は厭世的《えんせいてき》に笑って、視線をそらす。

そんなことわざわざ口に出して言わなくてもいいじゃん。あたしが口を尖らせてると、絢は揶揄《やゆ》するみたいに知沙希を指差す。

「松川《まつかわ》って、鞠佳相手だとかっこつけてるね」

「ええ？」

「ほんとは、普段からの感謝のきもちを形で表したいからって、プレゼントを贈ろうとしてるんでしょ。だったら、そう言いなよ」

珍しいと思った。絢があたし以外の人に、こんなにズバッと意見を言うなんて。

「……そういうことはっきり口に出すなよ、アヤ」

「言わなきゃ伝わらないよ。私がそうだったから」

たったそれだけのやり取りなのに、このテーブルのイニシアチブは完全に絢がもってっていた。「ね」と微笑みかけられたあたしも、妙に気恥ずかしくなる。

なるほど……これが、この場に絢が同席してた理由……。

ヘンなことを言い出そうとした知沙希に対する、セーフティ装置……。

で、同じぐらい顔を赤くしてるのは、知沙希。

「それはわかるけど………でも、言ったたって伝わらないかもしれないじゃん」

知沙希は、普段のシニカルな態度とは裏腹に、小さく見えた。

「実際、レーナはわかってくれなかった。一度火がついちゃうと、わたしも熱くなっちゃうからさ。ケンカするぐらいなら、適当に付き合うほうがまだ望みあるんだよ。別れた後も友達に戻れるかもしれないし」

知沙希は西田玲奈《にしだれいな》とケンカしたことを、ずっと気にしてるんだ。だから、悠愛とはそうならないようにって、いろいろ予防線張ってたんだろうな。

あたしは絢としか付き合ったことがないからまだまだ経験値が足りないけど、なんとなく知沙希の言ってることはわかる気がした。

どれだけのめり込むか、って話。それがほどほどなら、別れてもダメージは少なくて済む。お互い本気じゃなかったっていう保険は、建前《たてまえ》として大事だ、

だけど、と知沙希はあたしを見つめてきた。

「でも、さ。マリ言ったじゃん。やってみないとわからないって」

「え？　あたし？」

「レーナに啖呵《たんか》切ってさ、かっこよかったよ、ホント。だから、わたしも自分なりにやってみようと思って。それでアヤに相談したら、マリも一緒にって言い出して」

「う、うん、そっか。なるほど、わかった」

毒舌な知沙希に褒《ほ》められると、妙にむずがゆい気持ちになる。

あたしは、玲奈に大見得《おおみえ》を切った。表面上だけチャラく諦めてるやつなんて、ダサいって言

い切った。

確かに、あのとき知沙希の様子もちょっとヘンだった気がする。

小休憩みたいにジンジャーエールを飲んで、はぁ、と知沙希はため息をつく。

「わたしも、中学でも何回か付き合ったことあってさ、別に彼氏とか彼女とかどうでもよかったんだよね。告白されたから付き合って、それで？　みたいな」

知沙希はふっと笑う。

「わたしはわたしのままで不自由したことなかったし、誰かのために自分を変えるとか意味なって思ってたし。うまくいかない相手を繋《つな》ぎ止める意味もわかんなかったし。てか実際、ユメと別れてもまたすぐ誰かに告白されたりすると思うし」

「うわひど。そういうところだぞ知沙希」

調子を取り戻してきた知沙希に、あたしも小さく笑って軽口を叩く。

「けど、マリの言葉を聞いて……。それってやってること、レーナと一緒じゃね？　って思ったんだよね」

知沙希が笑みを張りつけたまま、目を伏せる。

「ああ、あのときのマリに比べて、あたしダサいなって……。だから、やっぱ、やることやってみよっかなってさ」

そっか。玲奈に言った言葉が、知沙希にも刺さってたんだ。

なんか申し訳ない気持ちもありつつ、でもそれで悠愛とのことを真剣に考えてくれてるなら、嬉しい……かな。

あたしは知沙希と同じぐらい、悠愛だってイイやつだって思ってるし。幸せになってほしいから。

前のめりになって聞いてるあたしに気づいて、知沙希は茶化《ちゃか》すみたいに笑う。

「っても、それでマリ呼んで『わたしどうすればいい⁉』だから、ダサいことに変わりないいんだけどさ」

「そんなことない！　知沙希、やるじゃん！」

あたしは知沙希の手を握った。

「ダサいなんてことないよ、今のほうがずっとかっこいい！」

「そ、そう？」

「うん！」

目を見つめながらうなずくと、さらに知沙希の顔が赤くなる。

かっこいい系の知沙希が照れてるところは、妙にかわいかった。

ていうか好きな子を喜ばせてあげたいからがんばろうとしてる子なんて、かわいいに決まってるじゃん！

と、そこで絢が割り込んできた。あたしと知沙希の手首をそれぞれ摑《つか》んで、無言で手繋ぎを解体する。そこまでは許してないよ、とばかりに首を振ってた。

なんだこいつ……あたしの飼い主か？

一瞬ヘンな空気になっちゃったけど、ま、まあいいや。

「てか、こういう相談ならむしろ大歓迎だし！　一周年っていつなの？」

「2月14日。バレンタインデーの日だよ」

「な、なるほ！」

絢の目を気にしつつ、大きくうなずく。

ってことは悠愛、最初っから知沙希との一周年記念のためにチョコレートを作ろうとしてたんだ。

そういえばやたらバレンタインデーに気合い入れてたような。あれってお菓子作りが得意だからだとばっかり思ってた。そうか、記念日だったからか。

ええー、そうだったんだ！　なんか、すごい気分アガってきた！

「よし、だったら知沙希もなんかしようよ！　あっ、プレゼントとかどう⁉　大丈夫、安心して！　JKのあたしがしっかりとプロデュースしてあげるから！」

「いやいや、わたしもJKだから。しょっちゅう社会人に間違えられるけど」

「その代わり、予算は任せたよ、知沙希。今月は残業代がんばって稼いでね。愛《いと》しのJKカノジョのために！」

「あーもう、そうだな。確かに精神年齢だとそれぐらいの年の差だもんな。で、そのＪＫカノジョはなにを喜ぶかな」

悠愛の喜びそうなものか。なんだろ……重いもの？

「結婚指輪とか、婚姻届とか、ぜったい喜ぶと思うよ。まちがいない」

「なんなんだユメは。婚活ガールかなんかか？」

やっぱり、知沙希とはこういうバカ話が楽しい。自分のアイデアで人が幸せになるなら、いくらでも付き合っちゃいたい。

ぴこーんと閃《ひらめ》いた。

「あー、あたし、将来こういう仕事に就こうかな！」

「ウェディングプランナーとか？　マリ、割と似合いそうじゃん」

「うん、人のお金で人が幸せになろうとしてるのを、横から口を突っ込む人」

「全世界のウェディングプランナーさんに謝れ」

そこでまたしばらく発言してなかった絢が、優雅に足を組んでブラックコーヒーを片手に微笑む。

「だから言ったでしょ。鞠佳がいればだいじょうぶだって」

「いや、なんで絢がドヤ顔なの」

「アヤのポジション、ずるいよな」

あたしたちは「わかる！」と盛り上がる。

絢はちょっと不服そうな顔をしてた。

その後、絢のバイトの時間で解散になるまで、作戦会議は続いた。

なんだかそれは、久しぶりに肩の力が抜けた、楽しいだけのお喋りで。

バレンタインデーも迫ったこの日。カラオケなんかに行かなくても、あたしのストレスは見事消え去っていたのだった。

＊＊＊

夏海ちゃん家のキッチンには、甘いチョコレートの香りが漂《ただよ》ってる。

土曜日の午後。三度目にして、最後の料理教室。

「で、できた！」

「できた！」

「でーきたー！」

ボウルやまな板、洗い物がたまったシンク……はともかく、テーブルの上にはお皿にのったかわいらしいお菓子がたんまりと載っかってた。

夏海ちゃんの部活が終わった後もたっぷりと時間があったこの日、ついにあたしたちは最初から最後まで通して、手作りチョコを完成させたのだ！

いやー、達成感すごい。ていうかやっぱ、悠愛の手際がすごい。テキパキしてて、普段とは違うバッテリーで動いてるみたいだった。

にしても、わずか三回で、こんなに上手に作れるようになるんだなあ。

夏海ちゃんなんて、作ったチョコレートに頬擦《ほおず》りしそうな勢いだし。

「はあ、我が子、かわいい我が子……ぬふふ、私のチョコレートちゃん……」

「それだけ思い入れ強すぎたら、渡せなくない⁉」

夏海ちゃんは陶酔《とうすい》の表情で、チョコレートを拝《おが》む。

「逆にそれだけ大切な我が子を任せられるのは、晴しかいない……ハァ、ハァ……晴、私の赤ちゃんもらって……」

「ラッピングされた赤子渡されたら、トラウマになるわ」

一方の悠愛は、腕組みをしてうんうんと満足げだ。

「もてる技術をすべて費やした。勉強も宿題もせずに毎日ひたすらお菓子作りに没頭した日々の、これがあたしの集大成だ」

「ほんとすごいね悠愛、お店のマカロンみたい。だけど勉強と宿題はしろ」

悠愛の澄まし顔は五秒しかもたなかった。荒い息をつきながらスマホを取り出す。

「うう、これぜったい映《ば》える……今すぐインスタに載せて世界中に自慢したい……あたしが、あたしが作ったマカロン……低温でじーーっくり焼くのが、めちゃくちゃ大変だったかわいいかわいいマカロンたん……」

「今撮ってバレンタインデー当日とかに載せなさいよ」

「やだ！　今がいい！　だってこんなにかわいく作れたのに！　映え、映え、映え！」

「やめなさいってのー！」

悠愛を羽交《はが》い締《じ》めにしつつも、あたしの胸は弾《はず》んでた。

プチトリュフがうまくできたからっていうのもあるけど、三つの悩みのうちのひとつが片付いただけで、でっかいリュックサックを下ろしたみたいな気分だ。

少なくとも、知沙希と悠愛は互いを大事に思ってた。

ほんのちょっとのすれ違いはあったかもしれないけど、それもぜんぶバレンタインデーには丸く収まって、きっと素敵な日になるだろう。

あとは夏海ちゃんとあたしの件だけど……ま、なんとかなるんじゃないかな！　重く考えたって仕方ないしね！

ひとしきり騒ぎながら、作業台の上の調理道具の諸々《もろもろ》を片付け終えた後。

ダイニングテーブルに移動して、あたしたちの第二次大戦が始まる。

テーブルの上に、夏海ちゃんのチョコタルト。あたしのデコトリュフ。そして悠愛のマカロン。（その他、大量の失敗作）

　それらを前に、悠愛がバラエティ番組の司会者みたいな顔で、指を立てる。

「ではまりかとなっつんに問題です。このステキなチョコレートをさらにステキにするために必要なものは、なんでしょう」

「はい」

「どうぞなっつん」

「そりゃやっぱ……愛でしょ！」

「不正解です。なぜなら、作ってる時点でもう愛は、た～～～っぷり入ってるから！　そうでしょう⁉　なっつん！」

「確かに！　逆に愛しか入ってないまである！」

　じゃあ、と代わりにあたしが手を上げた。

「さらにステキにするためのものでしょ？　簡単すぎ。一万円をチョコレートに添えればいいんだよ」

「それだ！　まりか大正解！」

「違うだろ！」

　なんでボケたあたしが突っ込まされてるんだ。

「茶番はいいとして。正解はですね……チョコレートをキレイな箱に入れて、ステキな紙で包んだ後、かわいいリボンで巻いちゃうんですよ！」

「え、なにそれゆめっち……。そんなの、ぜったいステキになっちゃうじゃん……」

「見た目がスーパーデコれる上に、生でビニール袋に入れて持ち歩くときみたいに、潰《つぶ》れずに済むんだよ！」

「天才！　一石二兆鳥！」

あまりにも偏差値の低い会話で信じられないかもしれないけれど、夏海ちゃんは学校の勉強ができる。悠愛ができないのはがち。

「というわけで、ご紹介の商品はこちらー」

あたしと悠愛はハンズで買ってきたラッピングの材料を、テーブルの上に広げた。

カラフルな包み紙や、キラキラとしたシール。ワンポイントのリボンなど、実に華やかだ。

あたしと悠愛で選んだんだから、どの柄も神すぎるデザインばっかり。

夏海ちゃんが目をパチクリする。

「えっ、なにこれ！　いつの間に⁉　手品⁉」

「先に買って用意しておいたんだよ。ほら、あたしと悠愛は部活やってないから、放課後めちゃくちゃ暇《ひま》だからね」

「しかもバイトやってるから、お金有り余ってるんだよね～。貯金の残高百億万円超えたし～」

「ふ、ふたりとも～～～！」

と言いつつも、夏海ちゃんは財布を出してワリカンしてきた。家を使わせてもらってるから、ほんとオゴりでも大丈夫なんだけど、きっちりしてる。まじめ。

士気もあがったので、あたしたちはスマホで検索したラッピング動画を見ながら、みようみまねで何枚もの紙をダメにしてゆく。

「あっ、これ、練習のためには最初、新聞紙とかチラシ使えって言ってるじゃん！」

「折れ跡ついたらもう使えないいんだってよまりか！　うわ、もったいな！」

貯金が百億万円ある悠愛が折り目を伸ばそうと四苦八苦してた。

箱タイプのは、ななめ包み、キャラメル包みやら、ちょっと練習しないと難しそう。

巾着《きんちゃく》に入れたバージョンはお手軽で簡単っぽい。夏海ちゃんは巾着にチャレンジするみたいで、リボンの結び方に苦戦してた。

「やーしかし……ふたりとも、ほんっとにありがとね」

指先を動かしながら、ぽつりと夏海ちゃんが口に出す。

それはいつもよりずっと、感傷的な声色《こわいろ》だった。

確かに、三人で集まってチョコを作るのはきょうが最後だしね。

あとは前日に、各々《おのおの》ががんばってチョコレートを用意するのだ。

つまり、ひとりひとりの戦いだ。

「お、なっつんのシメの言葉ですか？」

「バレンタインデー同盟のリーダーが、心温まる演説をしてくれるのかな？」

あたしたちが代わる代わる茶化すと、夏海ちゃんは「いやー」と恥ずかしそうに。

「私的に、今までこーゆーオトメな行事とほんと無縁だったから。チョコはもらう一方だったし。だけど、やってみると楽しいもんで、今まで私にチョコレートくれた子も、こんなにがんばってたんだな～～って、改めて発見した気分になっちゃったしさ。ほんっと、チョコ作りしてみてよかった！」

確かに夏海ちゃん、めっちゃチョコもらってそう。

背が高くて、スポーツ万能で、爽《さわ》やかな女の子だもんね。

「でも、それもこれも、ぜんぶ榊原とゆめっちのおかげだからさ！」

あたしがなにかを言うより、先に悠愛が「なっつん！」と彼女を抱きしめた。

「ほんっとね、めちゃくちゃなっつんのこと応援してるから！　なっつん世界一かわいいし、こんなにがんばったなっつんには、ほんと報われてほしいから！　てか彼女いなかったらあたしがなっつんと付き合っちゃう！」

「ええっ⁉　こんなかわいいゆめっちにコクられちゃったよどーしよ！　じゃ、じゃあ、ゆめっちがカノジョと別れた際はよろしくお願いします！」

「わかった！　ってそれなっつん結ばれない前提じゃん！」

「た、確かに！　じゃあキープってやつで！」

「急に一足飛びで悪女になっちゃった⁉」

悠愛が笑った後に、スマホを取り出した。

「実はね、なっつん。言いたくなっちゃったから、こっそり言っちゃうけど……あたしね、この子と付き合ってるんだ」

おっと。

「えっ⁉　どれどれ⁉」

もちろん、そこに写ってるツーショットは悠愛と、そして知沙希。

夏海ちゃんは大層びっくりしてた。

「えっ⁉　この子知ってる見たことある、っていうか松川さんじゃん⁉」

「えへへ……そーなんだー」

照れ笑う悠愛に対して、夏海ちゃんの感想はあまりにもシンプル。

「同じクラスとか、いいなー！」

衝撃の事実を聞かされたのに、そこ⁉　って感じだけど、それもなんだか夏海ちゃんっぽい。

「へへー、そうでしょー」

悠愛が画面をスワイプして、画像を切り替える。ふたりでいろんなところに遊びに行った写真が、次々と流れてゆく。

付き合って一年ともなれば、たまった思い出はストレージにぎっしりだ。

「ええー？　榊原は知ってた感じ？」

「そっかぁー。いや、でも松川さんって背高いし、かっこいいよねえ」

「まあねー」

「そうなの！」

水を得た魚ならぬ、のろける機会を得た悠愛が、知沙希への愛をあふれさせる。

「ちーちゃんね、見た目がかっこいいのはもちろん、でも見た目だけじゃないんだよ！　あたしにいっつも優しくて、人に興味なんてありませんって顔してるのに、こないだだっておしかけしてたら、ちーちゃんから手を繋いでくれたんだよねー！」

「ぬひゃー！」

妙な叫び声をあげて、口を押さえる夏海ちゃん。ここがベッドなら転げ回ってそうだ。

がんばってるんだな、知沙希……。ちゃんと愛あるじゃないか、うんうん、となぜか保護者みたいな気持ちになってきた。

そうして、悠愛と夏海ちゃんが話してるのを横目に、しばらくラッピングの練習をしてたんだけど……なんか、視線を感じる。

まさかとは思うけどこれ、あたしまでカミングアウトする流れじゃないよね？

「ね、ね、榊原は⁉」

「やっぱり！」

「あっ、いや、ごめん！　ぜんぜん、言いたくなかったら言わなくていいからね！」

いちいちそんなんで申し訳なさそうな顔をしなくていいから！

てか、あたしはさんざん夏海ちゃんから、晴ちゃんの話を聞いちゃったってのに！

「あーもー！」

思わず叫んだ。悠愛はニヤニヤしてた。

「……ふわ」

「え？」

観念して、告げる。

「不破絢、だよ！」

夏海ちゃんはしばらくぽかんと口を開けて呆《ほう》けた後に。

悠愛のときよりも数倍大きな声で叫んだ。

「ええええー⁉　不破絢って、あの、あのー⁉」

「どの不破絢かわかんないけど……たぶん、その……それ」

なにに驚かれてるのかわからず、あたしは曖昧《あいまい》にうなずくしかない。

「なっ、なんで⁉」

「いや、その、告白とかされて……」

されたか？　先にしたのはあたしだったような……？

いやいや、あんな百万円騒動とか、告白みたいなもんでしょ！　あたしは絢からってことにした。

夏海ちゃんはますます目を輝かせて。

「だって不破さんって、あの、すっっっごくきれいな子でしょ⁉　えー⁉　すごい、お似合いすぎじゃん！　神と神じゃんー！」

「いやいやいや……絢はそうかもだけど、あたしは別に」

辱《はずかし》めを受けてる気持ちになってきた。

「だからね、あのね、そういうわけで」

「ね、ね、榊原と不破さんって普段ふたりでなにしてるの⁉　雲の上すぎて、ぜんっぜん想像つかないんだけど！　カボチャの馬車で舞踏会に招待されたり⁉」

「するかっ」

話を変えようと思ったのに、夏海ちゃんがぜんぜん離してくれない！

「ひょ、ひょっとしてもう、キスとか、キスとかしてるんですか⁉」

「ノーコメントで！」

「やば！　榊原と不破さんがとか、もう芸術じゃん！　一対のヴィーナス像みたいじゃん⁉」

「人の話聞いてないな⁉」

「いやあなっつん……実はね、まりかってば、学校でも一緒にいたいからってグループにあややを引っ張り込んできちゃってさぁ」

「余計なことは言わないでいいから！」

「あー！！！　それで最近一緒にいるんだー⁉」

悠愛まで参戦してきて、もうめちゃくちゃ。

クラスでもひときわ目立って、私生活が謎《なぞ》に包まれたミステリアスな美少女と付き合ってるってことをダシに、あたしはさんざんおちょくられ続けた。

ほんっと黙ってる分には、絢ってば現実離れしてる完璧《かんぺき》な女だからな……。大富豪のお嬢様って噂《うわさ》も流れてたぐらいだし。

あたしの堪忍袋《かんにんぶくろ》の緒がもうちょっと短かったら、絢の悪行をなにもかもバラしてしまうところだったよ。あいつのヘンタイっぷりをね。

いや、そうするとあたしも自爆することになっちゃうわけだけど……！

「ね、ね、ふたりのイチャラブエピソードとかないの⁉　聞きたいなー！」

「お、だったらあたしがこないだ遊園地でダブルデートしたときの話を」

「わーわー！」

「まったくもう……」

だけど、なんだろう。悠愛だけじゃない。夏海ちゃんとも、数年来の友達だったみたいな気分。

恋は不安になったり、嫉妬しちゃったり、つらいことも多いけれど、でもこんなにも前へ進むためのパワーをくれる。

あたしがみんなのことを手伝うのは、自分が楽しいからだけじゃなくて、そのパワーをわけてもらえるからかもしれない。

そもそも、バレンタインデーに気合い入れようって思ったのも、悠愛に誘ってもらえたからだったしね。

そっか。あたしはふたりのためにいろいろがんばろうって思って空回ってばっかりだったけど……ほんとは、あたしのほうが助けられてたのかも。

夏海ちゃんと悠愛の、いつまでも終わらないような恋バナを横に、あたしはぽつりと口に出す。

「……でも、こちらこそ、ありがとね」

「ん？」

「なにが？」

思いがけず、するすると言葉が出てきた。

「ふたりがいたから、あたしもちゃんと勇気出そうって決めたんだ。たぶん、ひとりじゃうじうじ悩んじゃって、ぜんぜん進めなかったと思う。だから、ありがとうね」

あたしががんばらなきゃいけないのは、残るあたしの問題だけ。

だけど、もう大丈夫だって思える。

恋する女の子のエネルギーがここにはあふれてる。

あたしがこんなに絢のことを想ってるんだから、その期待にあたしのカノジョが応《こた》えてくれないはずがない。

はにかんで笑う。

「すっごく、楽しかった」

するとと今度は、ふたりに左右から抱きつかれた。

「うわぁ、榊原かーわいーー！　超女の子！　甘くていい匂《にお》いするー！　もう不破さんから奪っちゃうか⁉」

「ちょっ、夏海ちゃん、やめ！」

「そうだよなっつん！　だめだよ、まりかはあたしのだから！」

「違うっての！　あんたには知沙希がいるでしょーが！」

「ゆめっち、さっきは付き合ってくれるって言ったのに⁉」

「まりかはあたしのキープだからね！　さらにそのキープならいいよ！」

「二番手どころじゃなかった！　しょーがない！　榊原のかわいさに免じて！」

「頭グリグリしてくるな！　ああもう！　あんたたち！」

ふたりを引き剝《は》がした後、あたしたちは余ったチョコの大試食大会を開催した。

三人はそれぞれ、飲み物を片手に掲げる。夏海ちゃんが恋する乙女の笑顔を見せながら、宣言した。

「私がもしもフラれちゃったとしても！　ふたりとの友情は、永遠だから～～！」

こうして、ついに勝負の日が訪れるのであった。

第四章

バレンタインデー当日の朝。あたしは鏡を睨《にら》みつけてた。

「……んよし」

といっても平日、当たり前に学校がある日なので、めちゃくちゃに盛ったメイクをするわけにはいかない。だから、鏡の前であたしは普段より一段明るいデパコスのピンクリップを引いた。

「かわいい、かわいい」

自分に言い聞かせながら、角度を変えて確認する。

うん、いいんじゃない？　いい、かな。いつもとあんま変わらない気がしてきた。目元周りももっとラメ入れたほうがいいかな……。

一個気になりだすと、今度は前髪とか、チークとか、いろんなところが気になってしまう。

しかしまた一からメイクを直してる時間はないし、てかキリないの知ってるし！

「鞠佳《まりか》ー、遅刻するよー」

「ああもう、わかってるー！」

お母さんに叫《さけ》んでから、あたしはコートを羽織《はお》り、マフラーを巻く。

手作りチョコレートの入ったバッグを背負って玄関へ。

「それじゃあ、いってきまーす」

「あ、鞠佳、きょう遅くなる？」

リビングから顔を出したお母さんの何気ない質問に、あたしはちょっとためらう。

「えーと、わかんない」

「そ。明日も学校なんだから、あんまりハメ外しすぎないようにね」

「うん」

理解のあるいいお母さんだと思うけど、まだこういう話を親とするのは恥《は》ずかしい。あたしは急ぐフリしてブラウンのローファーを履《は》いた。

ドアを開けた途端、冷え切った空気が流れ込んでくる。あたしは顔をしかめた。

うう、さむ。

けど、きょうはマスクもせずに歩き出す。なにより、少しでもメイクを崩さないように、いちばんかわいいあたしのままで。

大丈夫、きょうだけは寒くない。

なんたって、胸がずっとドキドキしてるんだから。

「はいチョコ！」

「アタシも！」

教室につくなり、ギャル入ってる女の子にかわいいキャラクターものの派手なラッピングチョコレートを渡された。岸波《きしなみ》と戸松《とまつ》のコンビだ。

「え、なになに、あたしに？」

西田玲奈《にしだれいな》の取り巻きのふたりは、うちのグループとはあまり接点がない。あたしもこないだ玲奈絡みのあれこれでちょっと話したぐらいだし。だから、けっこう意外。しかもみんなに配ってるってわけじゃなさそう。

まだ登校してる生徒は、半分ぐらい。だけどもう教室には、どことなくチョコレートの香りが漂《ただよ》ってるようだった。

岸波と戸松は、へへー、と嬉《うれ》しそうにゆるっと頬《ほお》を緩《ゆる》めてる。

「いやー、実はあれから、玲奈が定期的に合コン開いてくれるようになってさー」

「しかも渋谷のクラブとかにも連れてってくれちゃったりしてさー。業界人とかイケメンとかいっぱいいいてさー！　もう出会いだらけ！　ま、戦果はまだゼンゼンなワケだけどね！　こちとらお安くないからねー！」

「へー、そうなんだ。よかったじゃんー」

そう言うと、ふたりはパリピな笑顔で『うん！』と一緒にうなずいた。こいつらなんだか妙に双子感《ふたごかん》ある。かわいい。

「だからね、榊原《さかきばら》にお礼の友チョコ！」

「改めてプレゼントとか堅苦しいじゃん？　アタシたちの想《おも》いはぜんぶチョコに詰まってるから！　たっぷり味わって！」

この子たちが悪いやつらじゃないのは、わかってる。けど、それはそうとして、割と抜け目ないところもあるからな。

一応、聞いてみる。

「……なんかのワイロとかじゃないよね？」

『違うから！』

同時に左右からステレオでツッコミを入れられた。どうやら信じてもいいみたい。

「じゃあ、うん、ありがとね。へー、嬉しいなー。意外と義理堅いんだねー、ふたりとも」

笑いながらそう言うと、ニヤリと口の端を吊《つ》り上《あ》げてきた。なんだ⁉

「受け取ったね！」

「受け取っちゃったねー」

「いやいつでも返すけど！」

ギャルに挟まれ、両側から肩ポンされる。

「というわけで、もし来年、同じクラスになったときには、よろしくね！」

「ホワイトデーのお返しとかいらないから！　そのときよろしくー！」

「やっぱりワイロじゃん⁉」

ほんとちゃっかりしてる。この子たち、昔はあたしに暴言とか吐いてなかったか？　シンデレラのお姉さんみたいに。

しかし、ニコニコと微笑《ほほえ》んでる世渡り上手のふたりに対して、呆《あき》れるより笑っちゃうからあたしの負けだ。

「はいはい、わかったわかった……。あたしもぼっちになるのはヤだから、同じクラスになったら、そのときはよろしくね。また鞠佳グループ作っちゃうからね」

「わーい」

そう話した直後。

後ろから何者かの声がした。

「まー、保険はかけておくに、こしたことないよねー」

『⁉』

弾《はじ》かれたように振り返るふたり。

西田玲奈が現れた。いつもどおりヘラヘラとした笑みを浮かべて。げげげ。

絢《あや》とタメ張るほどの美人で、高身長の現役《げんえき》モデル。顔の作りからして日本人離れしてるから、急に現れるとその圧力に後ずさりしてしまいたくなる。

ぬるっと会話に交ざってきたボスの両腕に、岸波戸松がすかさずしなだれかかった。

「そ、そりゃ玲奈と同クラがいちばんうれしいに決まってんじゃーん！」

「てか違うクラスになっても休み時間ごとに玲奈に会いに行っちゃうしー！」

ごろごろにゃーんという音が聞こえてきそうなほどの、猫撫《ねこな》で声《ごえ》……！

「いやそれはウザいっしょ。ふふ、でもあんがとーね」

玲奈は下僕《げぼく》を安心させるような、慈悲《じひ》深い笑みを浮かべる。そのまま、まるで猫の顎先《あごさき》を指でくすぐるみたいに、ふたつの包み紙を差し出してきた。

「はい、かわいいふたりにあーげる」

岸波と戸松は、素直に黄色い声をあげた。

「わあー！　玲奈のチョコだー！」

「すっごー！　しかもゴディバじゃんー！」

「ベッタベタだけどねー」

『ありがとー！』と声を揃《そろ》え、岸波と戸松が目をハートにして玲奈に抱きつく。

すごい、玲奈の支配力。ちゃんとイベントデーごとにご褒美《ほうび》をあげて、こまめにケアしてあげてる……。

よしよしと臣下（ペット？）の頭を撫《な》でてあげる玲奈に、戸松も岸波もデレッデレだ。なんだこの、ヤクザのドンとお気に入りのキャバ嬢みたいな感じ。

この取り巻きってもしかして、玲奈ハーレムの一員とかじゃないだろうな？

少なくともこいつらは、玲奈に迫られたら、メロメロになって抱かれそう……。いや、まさか夜な夜な……⁉

「ん？」

あたしがよからぬ妄想をしてると、玲奈が笑いかけてくる。

「その顔ひょっとして、鞠佳もほしかった？　玲奈さんのチョコレート」

「あ、いや」

肉食動物みたいな、油断ならない笑みだ。

「そういうんじゃないけど」

まさか玲奈とその取り巻きで妄想してました、と言えるはずもない。てか、玲奈からチョコレートとかもらったら、後が怖いし……。

「そーだよね。玲奈さんと鞠佳って、そーゆー仲じゃないしねー」

「どういう仲かは聞かないでおくけども」

あたしはガサゴソと鞄《かばん》を漁《あさ》って、巾着《きんちゃく》ラッピングを取り出した。玲奈に突きつけて、左右に揺らす。

「はい」

玲奈が一瞬、真顔になった。だから、こわいって。

「……え？　玲奈さんに？」

「うん。あ、大丈夫、手作りじゃないから。といってもゴディバとかじゃなくて、ただのお店のやつだけどね」

玲奈は怪訝《けげん》そうにあたしをじっと見つめてる。

こいつ、目デカくて眼力《めぢから》あるから、黙ってるとヤンキーにガンつけられてるみたいな気分になる。もしかしたら、それを本人も自覚してるから、普段ユルい喋《しゃべ》り方してるのかも。

「いやいや、それはいいんだけど。手をパタパタと振る。

や、それはいいんだけど。手をパタパタと振る。

「いやいや、大丈夫だから。これ受け取ったから恩を着せるつもりとかないから。ただ、去年はいろいろあったしさ。いちお、仲直り、的な？」

ニコッと微笑む。玲奈は首を傾《かし》げた。

「玲奈さんは特にケンカとかした覚えはないけどー？」

こいつ、マジか！

教室だから、そう言い張ってるのか！　あれだけ派手にやりあっておいて。

「でも、ま」

玲奈が猛禽《もうきん》類のクチバシみたいな指で、巾着ラッピングをつまんで受け取る。

「くれるってーんなら、ありがたく受け取っとくから。玲奈さん、お仕事上、チョコレートあんま食べられないんだけどねー」

「食事制限たいへんそうだよね。だと思ったから、インカベリーっていうドライフルーツにしておいたよ。有名モデルさんも愛用してるんだって」

「……。あ、そ」

「うん」

それきり、なぜか玲奈は不機嫌そうに沈黙した。

戸松と岸波がお互い『どうしよ』みたいに顔を見合わせてた。あたしもまったく同じ気持ちである。上に立つ者として、もっと場を維持するためにふさわしい振る舞いをしてくれ、女王様。

玲奈は空気を読む業務を放棄したみたいに腕組みして、それから口を開いた。

「鞠佳ってホント、器用ってゆーか隙《すき》がないってゆーか……どこまで天然でやってんだか」

「え、なになに。褒《ほ》めてる?」

「……はあ、もーなんでもいーや」

なんだよ!

煮え切らない態度のまま、代わりに玲奈は両手であたしの手を握ってきた。

「ごめんね、玲奈さん鞠佳の分のお返し持ってきてないからさー」

「いや、そんなのいらないよ――」

玲奈の顔が近づいてきた。

あたしの頬を髪が撫でる。

湿った音がして、頬になにか柔らかなものが押しつけられた。

……え？

耳元に、ガラスを弾いたような玲奈の声。

「——あんがと、鞠佳、アイしてる」

「は？」

ほっぺたを押さえながら、あたしは飛び退《の》いた。

「はあああああ⁉」

戸松と岸波もあぜんとしてる。

こいつ、教室であたしの頬にキスしてきやがったんだ。

玲奈はケラケラと笑ってる。笑ってる場合じゃないでしょ！

「まだ不破《ふわ》登校してきてなくて、よかったねー、鞠佳」

「それはあたしのセリフだからな⁉」

ここに絢がいたら、手加減なしでブン投げられてたぞ！　そしてあたしが教室で押し倒されてたぞ！

くっそう、信じられない、信じられないホント玲奈。ありえない、ムカつく！

あたしへの嫌がらせに人生かけてんの⁉

ぽかーんとする戸松と岸波を置き去りに、玲奈は歌うように「一勝一敗ー」と言って、上機嫌な顔で席へ戻ってった。

あたしのあげた包みを机に置いて、楽しそうに眺めてるし。

プレゼントなんてあげなきゃよかった！

「鞠佳」

「ひっ」

頭を抱えてたあたしが顔をあげると、そこには登校してきたばっかりの絢。

なんでもないよと全力でめいっぱい手を振る。あたしは余計な血を見たくない。

「おはよう、どうかした？」

「えっ、べ、別に⁉」

思いっきり動揺して首を振ると、絢はじーっとあたしを見つめてくる。

な、なになに……。

なんにもされてないよ大丈夫、大丈夫だから！

不破事件高校バージョンとかぜったいだめだから！　あたしの身体は清いままだから！

怯《おび》えるあたしの前、にこっと絢が笑った。

「きょうのリップ、とってもかわいいね」

全身の力が抜けて、脱力したあたしは「ありがと……」と返す。

離れた席ではやっぱり玲奈が角と羽生《はねは》やして小悪魔みたいな顔で笑ってた。

神様、来年はあいつと違うクラスにしてくれ！

そんな騒動に巻き込まれたりしつつ……。女子校とはいえ、その日は朝からみんなソワソワしてるみたいだった。

クラスで友チョコ交換会が行われてたり、あるいは外に彼氏のいる女子は放課後に命かけてるみたいだったり。

あたしは事前にインスタとかに『義理はいらないからね！　代わりにまた遊んでね！』って告知しておいたおかげで、そんなにはもらわなかったんだけど。でも、岸波や戸松みたいにどうしてもあげたいって人が何人かきて、鞄が膨らんでいった。

これもそのうちのひとつ。

休み時間に知沙希《ちさき》に「マリ、下級生、きてるよ」と声をかけられて、廊下に出る。

すると、香奈《かな》と晴《はる》ちゃんが恐縮した顔で縮こまってた。

晴ちゃんの顔を見て一瞬ドキッとするものの、大丈夫。すぐに平常心を保てた。

「おお？　後輩じゃん。どしたの？　チョコプレゼントの旅？」

「そうすよ！　かわいい後輩が、センパイに届けにきましたすよー！」

む、素直でかわいいじゃないか。

上級生フロアだと彼女たち緊張しちゃいそうだから、踊り場まで連れ立って歩く。

すぐに後悔した。寒い！

顔面だけは平静を装って、微笑む。

「わざわざこっちまで来なくても、メッセージで呼び出してくれればよかったのに」

「そんなそんな、後輩から出向くのが礼儀ってもんじゃないすか。え、センパイ、部活やめてから当たり前の礼儀どこかに落っことしてきちゃったんですか？　幼稚園からやり直してきまちゅ？」

「ははは、こいつめー」

「いたっ、冗談なんですけど、いたっ強めっ！」

べちべちと背中を叩《たた》く。うーん、中学時代を思い出すようなやり取り。

ところで、晴ちゃんの様子なんだけど……。

顔を赤らめて、かなり緊張してるようだった。

もちろん、傍目《はため》には憧《あこが》れのあたしにチョコをあげるから緊張してる……みたいに見えるんだろうけど。

もうあたしは事情を知ってる。

ほんとは、あとで本命のチョコレートをあげたい人がいて、それがあたしのカノジョってことで、硬くなってるんだ。

先輩としてはリラックスさせてあげたいけど、絢の恋人として彼女はライバルなわけで。複雑なポジションが、あたしを迷わせる。

「はい、どうぞ！　センパイ！」

そんなあたしに香奈が、屈託《くったく》のない笑顔で小さな包みを差し出してきた。カワウソが踊ってる。独特なセンスだった。

「ん、ありがと。神棚にお供えして毎日拝《おが》むね」

「おいしいクッキー買ってきたんすから、食べてくださいよ!?」

「いやーあたし意外と後輩に慕《した》われてたんだなー。嬉しいなー」

「そりゃ、陸上部で鞠佳センパイキライな人、ひとりもいませんでしたからね！　うちの代のアイドル、レジェンド、憧れすよ、センパイ！」

「ははは、もっと言っていいよ、もっと」

と、後輩に褒めさせて喜んでるのも、場の雰囲気を軽くするため。いや、ほんとに。

胸を張って「ははは」と笑ってると、香奈が晴ちゃんを促《うなが》す。

「ほら、晴の番だよ」

晴ちゃんは、おっかなびっくりとチョコを差し出してきた。

「う、うん。あの！　これ、チョコレートです！」

「わーい！　やったー！　ちょう嬉しいー！」

青いシンプルな包みを受け取り、あたしは両手に掲げて大げさにはしゃぐ。

嬉しさを最大限に伝えるのは、割とあたしの得意技。オーバーリアクションなぐらいが、ちゃんと気持ちが届くんだって思ってる。

包みを抱きしめながら、ニッコリと笑う。

「ありがとね、晴ちゃん。あたしのファンだって言ってくれてたから、嬉しいなー」

そう言うと、彼女はどこか思いつめたような顔になって。

「はい。……あ、あの！」

「うん？」

ぐいっと顔が近づいてきて、あたしを下から見上げてくる。

普段の愛嬌《あいきょう》ある瞳《ひとみ》は真剣で、決意の色が点《とも》ってた。

「その、あの、うち……」

首を傾けて、あたしはほんのりと微笑を浮かべる。

「うん」

晴ちゃんが言葉を呑《の》み込む。

「うち……」

「晴？」

なにも言えなくなっちゃった晴ちゃんに、香奈が怪訝な顔で声をかけた。

ああ、うん、とあたしは理解する。

晴ちゃんは、絢にもう一度告白するつもりなんだって、打ち明けようとしてくれてるんだ。

自分の恋に嘘《うそ》をつきたくなくて、だから正直に、正々堂々と。

真面目《まじめ》な子だ。夏海《なつみ》ちゃんから聞いてた話と、おんなじ。

ふぅ、と小さく息をついてから、あたしは。

できる限り、優しく微笑んでみせる。

「ね、晴ちゃんは今回、誰《だれ》か本命の人がいたりするの？」

「……え？　あの……」

まさかあたしが切り出してくるとは思ってなかったのか、晴ちゃんは大きく目を見開いた。

「いるんだよね。わかるよ、晴ちゃん」

「それは、その……先輩……」

不安に怯える小動物みたいな後輩。

こんなとき、どういう風に話しかければいいのか、あたしは経験から知ってる。

いつも困ったときに助けてくれた、バーの可憐《かれん》さんみたいにすればいいんだ。

絢と出会って、付き合って、たくさんぶつかって傷つかなければわからなかったことはたくさんある。これもそのひとつ。

可憐さんはあたしの相談に乗ってくれるとき、いつだって魅力的に微笑んでた。

だからあたしも、晴ちゃんの背中を押せるように。

「晴ちゃん。誰かに気兼《きが》ねして、好きって気持ちを伝えられないなんて、そんなの、ぜったい損だよ」

晴ちゃんは顔をあげて、あたしを見つめた。

あなたがそれを言うんですか？　って目をしてる。

まあね。

余裕ぶってるわけじゃないんだよ。晴ちゃんはすごくかわいいし、もし絢を取られたらどうしようって思う気持ちもある。

絢を信じてるけど、だからって不安がゼロになるわけじゃないから。

でもね、あたしは今、絢の彼女としてじゃなく、一個上の人生のセンパイとしてでもなくて。

晴ちゃんと同じ、恋する女の子、榊原鞠佳として言ってるんだもん。

「だいたい、恋愛なんてエゴの塊でしょ？　お店で買えばいいようなチョコレートを、料理が本職でもないのに一生懸命作ったりしてさ。味もお店のほうが上なのに、ほんと自己満足。だけど、それってやっぱり、やりたいからやっちゃうわけじゃん」

ね？　と首を傾けて。

「だからさ、もっと自分の想いを乗せて、やりたいことやっていいと思うよ。お互いの立場とか先輩後輩とか、そういうのぜんぶ取っ払っちゃってさ。なんて、あたしが言うのはおかしいかもしんないけど……」

　あたしは自分の胸に手を当てて。

赤ちゃんの頬を撫でるみたいに、柔らかく伝える。

「がんばって、晴ちゃん」

晴ちゃんの瞳が揺れた。

たとえ、絢が晴ちゃんの告白に応《こた》えないとしても、もし応えてしまったとしても。そのときはそのときだ。

だって、ヤじゃん。

あたしは、片思いの夏海ちゃんが好きな子のためにすっごくがんばってたのを、そばで見守ってたんだから。

その笑顔も、泣き顔も、照れ顔も、苦労も、ぜんぶぜんぶ見てあげてほしいけど、恋する彼女たちはそんなこと望んでない。

だったらさ。

「――がんばった晴ちゃんの、いちばんかわいいとこだけ、好きな人にちゃんと、見てもらおうね」

晴ちゃんの目が潤《うる》んでゆく。

あたしの話はそれでおしまい。

最後に、へへっと茶化《ちゃか》すように笑って、「それじゃあ」と立ち去ろうとしたとき、晴ちゃんに裾《すそ》を摑《つか》まれた。

「先輩……」

「え、えと？」

晴ちゃんが、慌てて気づいたみたいにぱっと手を離す。その真《ま》っ赤《か》な顔があたしに見えなくなるまで、大きく頭を下げた。

「すっ、すみません、あ、あの……ありがとうございますっ！」

顔をあげた晴ちゃんには、ほんの少しだけど、笑顔が浮かんでた。

「いや、あたしは別に大したことは」

「いいえ！　やっぱり……先輩のこと、大好きです！」

踊り場に晴ちゃんの、弾《はず》んだ声が響く。

「先輩。ほんと、うちの推《お》しです。だから、うち……精一杯、がんばってきます！」

「ん」

あたしはダサく親指を立てる。

「励めよ、後輩」

「はいっ！」

もう一度頭を下げてから、晴ちゃんは踵《きびす》を返して走り出した。

「ええっ、なんなのもう⁉　晴、待ってよ！　じゃあセンパイ、またー！」

香奈が手を振って、晴ちゃんを追いかけてゆく。

現役陸上部の健脚で、その後ろ姿もあっという間に見えなくなった。それはあたしの知ってるあの頃《ころ》より、ずっとずっと速くて、ああ、あいつ真面目に部活してるんだなあ、なんか青春だなあ、とぼんやり思う。

ひとり残されたあたしは、白い息をはく。

これでよかったのかなあ、あたし。

かっこつけて、晴ちゃんの背中を押しちゃったりして。

後悔がない……と言ったら、ウソになる。

これで絢が、晴ちゃんと付き合うことにしたから別れてほしい、とか言い出したらどうしようかな。そんときは夏海ちゃんと付き合うことにするか……。毎日楽しそうだし。

そんな心にもないことを思って、無駄にダメージ食らう。

あたしはその場にしゃがみ込んだ。

でもこれは、自分で蒔《ま》いた種なんだから、ちゃんと自分で面倒みないと。あたしは間違ってない。晴ちゃんだって悪くない。弱い心だけがしんどくて、あたしの胸をチクチク刺す。

踊り場は寒いはずなのに、すぐに教室に戻る気にはなれなかった。

不機嫌なあたしなんて、キャラ崩壊だ。

せめてもう少し、人前に出ても許されるような気分にならなくっちゃ。

ぼんやりと視線を空に浮かべたりしてると。

隣にちょこちょこ、ちっこいやつがやってきた。

「鞠佳は、いいやつだね」

「ひな乃《の》……」

今はあんまり構ってあげる余裕ないぞ。

「ほんっと盗み聞きするの好きよね……。人から趣味悪いって言われたりしない？」

「あんま気にしないかな。やりたいことしてるだけだから」

パックのいちごミルクを飲みつつ、あたしの隣に立つひな乃。その生気の欠けた目つきは、相変わらずなにを考えてるのかわからない。

苛立《いらだ》ちを人にぶつけるなんて、人気者の鞠佳ちゃんがいちばんやらないことなんだけど。……でも、相手がひな乃だから別にいいか、って感じ。

あたしはやさぐれた目でひな乃を見上げる。

「で、励ましのチョコ持ってきてくれたの？」

「うんにゃ。あたしは本命にしかチョコあげない主義だから」

「じゃあ、むしろホッとしておくとしようか……」

それから、ひな乃は、特になにも言わなかった。

しばらく、あたしの隣に立ってるだけ。

……なんだこいつ、気を遣《つか》ってるのか。ひな乃のくせに。

「珍しいこともあるもんだ」

「なにが」

「別に？」

立ち上がって、ひな乃の横に並ぶ。

ツンと澄ました横顔に、問いかける。

「ひな乃の好きな人って、どんな子？」

「顔があたしの好み」

「そうか……」

間髪《かんぱつ》入れずに答えてきた彼女に、なんにも言えなくなる。なんだこの、聞いて損した感。

けど、ひな乃は「その上」と続けた。

「真面目で、がんばり屋で、優しい。でも意外と意地っ張りで、ワガママで、欲張りで、そういうところもかわいい。それと、唇がすごく柔らかいんだよ」

ひな乃がすごく優しい顔で語るから、あたしは赤面してしまった。

「……のろけるじゃん、ひな乃」

「でしょ」

無表情に近いドヤ顔でピースされた。

ひな乃のくせに、かわいい顔をしやがって。

……でも、ま、今のあたしに必要なのはそんな言葉だったのかもしれない。

好きな人に向けた、純粋な好意。

それは、心から心に伝わる、温かな灯火《ともしび》だ。

きょうはバレンタインデー。想いを伝えたい女の子の、背中を押してくれる日。

だったらあたしだって、そのひとりに決まってる。

そうだ、なに諦《あきら》めてるんだよ、あたし。

もし絢が晴ちゃんの告白を受け入れたんだったら、次はあたしの番じゃん。

立場が入れ替わっただけだもん。目移りされた程度で恋を手放すぐらいなら、晴ちゃんにがんばれなんて言えないよね。

恋愛なんてエゴの塊。だったら、あたしは何度でも絢に猛アタックして、あたしの恋を勝ち取ってみせる。

それが榊原鞠佳。やると決めたらやる女でしょ。

「うん。いいじゃん、幸せそうで」

自然と笑みがこぼれてきた。

ひな乃に笑いかける。ひな乃もうなずいた。

「でも、バリバリの体育会系で、練習忙しそうだから、実はあんま会えなかったりするんだよね」

「あ、そうなんだ」

「うん、だから」

ん、といちごミルクを突き出された。

ひな乃のちっちゃな唇が、笑みを浮かべる。

「チョコは本命にしかあげないけど、一口ぐらいなら。いる？」

「いらんわ！」

ひな乃は残念そうだった。

一口分の本命ってそれ、ようするに都合のいいセフレってことでしょうが！　ひな乃はやっぱりひな乃だ！


まったくもうせっかく感動しそうだったのに……と、ひな乃と別れて戻ってくる。

すると、教室では夏海ちゃんが死んでた。

「伊藤《いとう》夏海ー⁉」

駆け寄る。机にへばりついてた夏海ちゃんが、よろよろと青白い顔をあげた。

「うう、榊原……。私はもうだめだよ……」

「な、なになに、どうしたの」

「昨日から緊張で、私的に食欲もなくて……ごはんも丼《どんぶり》二杯しか食べられなかった……。餓《が》死《し》しちゃう……」

「その心配だけは無用だから。夏海ちゃんはしぶとく生きるよ」

でも、どことなく顔色も悪い気がする。これ、ほんとに大丈夫かな。いつもピンと空を向いてるポニテも、こころなしかよれよれだ。

夏海ちゃんはきょうのバレンタインデーにかけてきたわけで……そりゃあ緊張もするよね。しょうがないと思う。

どこもかしこも、恋する女の子は大変だ……。

すると、夏海ちゃんはか細い声をあげる。

「私ね、昔っから緊張しいでさ～」

「そうなの？」

「うん～。大事な試合の前にはお腹《なか》痛くなったり、気持ち悪くなっちゃったりして。バド部の部長やってるのに、まだぜんぜん直らないみたい。情けなや……」

しおしおの夏海ちゃんは、鞄からストローボトルの水筒を取り出して、ちゅーとすすった。

「え、じゃあなに。試合前とか、いっつもこんな感じなの？」

「重い軽いはあるけど、だいたいね～」

「そりゃ大変そう……。夏海ちゃん、割となんでもできるほうだと思ってた」

「私にできることはなんにもない……日本語も不得手……」

「大丈夫か⁉」

これから告白という一大イベントがあるっていうのに、それまでもつのだろうか。ふつうに心配になってきた。

「え、いったん保健室とかいって寝る？」

手を突き出された。待ったのポーズだ。

「？」

夏海ちゃんはぐぐっと顎を引く。

「……大丈夫、待って、そろそろ来そう」

なに。

しゃっくりでも我慢するような顔をしてた夏海ちゃんは、しばらく経《た》って、胸を撫でさすりながら大きくため息をついた。

「ああ～、よくなってきた、よくなってきたかも～……」

「えっ、緊張ってそういうものだっけ⁉」

「これは、私が編み出した最強のルーティンでしてね……」

夏海ちゃんは神妙な顔で語り出す。

「どうせ緊張するなら、先に限界まで緊張し切ってしまえば、あとはリラックスするだけ……。このやり方によって、私は数々のシーンを乗り切ってきたのである……」

「めちゃくちゃ体に負担かかりそう！」

とりあえず叫ぶ。けれど、実際に夏海ちゃんの顔色はよくなってきてた。

アスリートのメンタルコントロール術というか、思い込みの力というか。夏海ちゃんって意識して物事を単純に捉《とら》えようとしてるイメージあるし、効果ありそうだ。

「ま、失敗しても命まで取られるわけじゃないしね！　やらない後悔より、やる後悔！　当たって砕けろの精神だだだ！」

……すごいんだけど、傍目から見てると感情がバカになったみたいに見えちゃうな。

まあいいか、この気持ちの切り替えは、夏海ちゃんのいいところ。

だったらあたしも、スポ根っぽいノリでいこう。

「大丈夫だよ、夏海ちゃん。あたしも悠愛《ゆめ》も、きょうはちゃんとチョコレート渡してくるから。夏海ちゃんはひとりじゃないからね」

「！　おう！」

がっしりと手を重ね合わせる。

夏海ちゃんは朗らかな顔で、爽《さわ》やかに笑った。

「私が破れて爆死したそのときには、榊原、骨は拾ってね！」

「そのルーティン、別にポジティブになるわけじゃないんだ⁉」

こうして、あっという間に放課後。

夏海ちゃんの決戦のときが近づいてくるのだった。

＊＊＊

あたしと悠愛は、夏海ちゃんの付き添いとして、校舎裏で待機をしてた。

ひな乃じゃあるまいし、覗《のぞ》き見趣味はなかったんだけど、夏海ちゃんが『ふたりがいてくれたら勇気が出るから、どうしても～～～！』って拝み倒してきたのだ。

ポリシーとのせめぎあいに迷ったけど……しょうがない。骨を拾ってくれって言われたからね。友達としてできるかぎりのことはしてあげたい。

というわけで、校舎の影に隠れたあたしたちは、ひとりぽつんと想い人を待つ夏海ちゃんの後ろ姿を見守ってた。

夏海ちゃんはまるで試合前みたいに真剣な、落ち着いた佇《たたず》まい。ルーティンがめっちゃ効いてる。悠愛のほうがよっぽどソワソワしちゃってる。

「なっつんがんばってたんだもん、実ってほしいよね」

「ほんとにねえ」

寒風吹きすさぶ中なのに、あんまり寒く感じない辺り、あたしも緊張しちゃってるんだろう。

他人の人生のターニングポイントをこれから目の当たりにするんだって思うと、胸がいっぱいになってくる。

「なっつんすっごく美人だし、いい子だもん。なっつんのことを知ったら、ぜったいなっつん好きになっちゃうよね」

「そうねえ」

気のない返事を繰り返すあたしだけど、悠愛は気にしてないようだ。

お互い、緊張をほぐすための言葉の交換でしかないしね。

しばらくして、悠愛があたしの肩をぺしぺし叩く。

「き……きたぁ」

あたしにも緊張が走る。

いよいよだ。夏海ちゃんとチョコレートを作った日々が、思い出が、ばーっと流れてゆく。

ここが勝負どころだぞ……がんばれ、夏海ちゃん……！

そして、向こう側から晴ちゃんがやってきた。

だけど……。

晴ちゃんの顔には、どこか普通じゃない重苦しさが渦巻いてるような気がした。歩き方さえもなんだか、たどたどしい。

「あの子、なっつん先輩に呼び出されて、緊張してるのかな……?」

「う、うん……」

そう考えるのが自然だ。けど、あたしだけが事情を知ってる。

……晴ちゃん、もしかして。

ぶるっとスマホが震えた。絢からのメッセージ。

『用事は終わったから、教室で待ってるね』との一言。

あたしは思わず「ああ……」と声を漏《も》らした。

そっか、晴ちゃん……。

先に、絢にチョコ渡してきたんだ。

自分の想いを伝えようと、精一杯がんばってさ。

そして絢は……二度目の告白を、ちゃんと断ったんだろう。

じゃなきゃ、晴ちゃんがあんな顔をするはずがないから。

すでに終わってしまったひとつの恋を想って、あたしは言葉にならない声を呑み込んだ。絢も晴ちゃんの心情も、どっちもわかっちゃうから、様々な感情が渦巻いて整理がつかない。

「夏海ちゃん……」

だけど……。

ひとつだけ、希望があるとすれば。

……絢にきっぱりと断られた今なら、もしかしたら夏海ちゃんの告白も、晴ちゃんに届くのかもしれない。

そんな浅ましい気持ちで、あたしは夏海ちゃんを見守る。

なにも知らない夏海ちゃんは、晴ちゃんに大きく手を上げた。

「き、来てくれてありがとね～！」

晴ちゃんは優しく首を振る。

「いえ……でも、なんですか先輩。こんな日に校舎裏なんて、なんか勘違いしちゃいそうになりますよー」

「あ、あはは、そうだよね、紛《まぎ》らわしいよねー……あはは」

後ろ手に隠したラッピングチョコレートの箱が、ぴこぴこと揺れてる。

悠愛がぎゅっとあたしの腕を強く抱く。

見てるこっちのほうが息詰まりそう。

「あのさ～、きょうは、ずっとずっと晴にお礼を言いたくてさ～～」

「お礼、ですか？」

「うん。ほら、夏終わってあたしがキャプテンになってからもさ、ず〜っとず〜〜っとサポートしてくれたしさ。晴にいっぱい助けられてたし！」

「えーなんですか改まって。いつも『よーくやったー！　わしわしー！』って犬みたいな扱いしてきてるくせにー」

「あ、あはは！　そうだよね！　私ちょっとヘンだよね〜！　んーなんでだろ！　なんか熱でもあるのかな〜〜！　ははは……」

わざとらしく笑ったあとで、夏海ちゃんは覚悟を決めたみたいに、晴ちゃんを見つめた。

「ね、だからこれ、もらってくれると嬉しいな……って」

キレイにラッピングした、世界でひとつだけのチョコを差し出す。

晴ちゃんは驚きに目を見開いた。

「えっ、夏海先輩が、うちに？」

「うん、いっつもサポートしてもらっているから……その、ありがとね！」

悠愛があたしの腕をバシバシと叩く。その目が『このままじゃ告白じゃなくてただのお礼じゃん！　なっつんチキってる！』と訴えてきてる。

うん……。

でも、しょうがないよ、

尻込《しりご》みしちゃう気持ちもあるだろうし……。少なくとも今のままなら、冗談で済む。ここでなにもできなくても、あたしは夏海ちゃんのこと、ばかにできない。

だけど。

晴ちゃんにチョコレートを突き出した夏海ちゃんは、なぜかその手を離さなかった。晴ちゃんが困ってる。

「えっ、渡したくないんですか⁉」

「いやあ……」

めちゃくちゃ苦々しい声。ここでそんな声出す？

「チョコレートを作るために手伝ってくれた乙女《おとめ》たちの怨念《おんねん》を、私は背負っちゃってるからね……。なんか、このままじゃいけないんじゃないかなって思ってね……」

誰が悪霊だ。

「もしひとりきりだったら敵前逃亡しちゃってたかもしれない……でも！　今の私には友情パワーが乗っかってるからさ！　だから、晴！」

ぺちんと自分の頰を張った夏海ちゃんが、バド部キャプテンとして腹から声を出す。

「はっ、はい！」

夏海ちゃんは頭を下げながら、両手でチョコレートを差し出した。

「好きです！」

「えっ⁉」

「付き合ってい、い、ください！」

「ええええっ⁉」

言ったー！

あたしは思わず悠愛と抱き合う。

しかも真正面からド直球。お、女らしい！

叫んだ晴ちゃんは、しばらく固まった後に。

「え……ええええええええー⁉」

ひっくり返りそうな勢いで、また叫んだ。

「なんでですか⁉　先輩、先輩うちのこと好きだったんですか⁉　なんで⁉」

「なんでって言われても！」

夏海ちゃんの耳が真っ赤だ。

「だって、かわいいし、懐いてくれてるし、すっごいいい子だし、私のためにがんばってくれてるし！　そんなの好きになっちゃうに決まってるよ～～～！」

「ええええ……！」

晴ちゃんは傍目にはめちゃくちゃ嬉しそうに、口元を手で押さえてて。

「夏海先輩、そんな、そうだったんですね、うちのこと、ずっとそんな風に」

「そ、そうだよ！　好きとか嫌いとかよくわかんなかったけど、チョコレート作りの修業を始めてから、晴のことばっかり考えるようになっちゃってさ〜〜！　そのたびにドキドキして、晴に会いたくなっちゃうんだよ〜〜！」

真っ赤になった夏海ちゃんが、勇気を振り絞る。

「おいしいものを食べたら晴のことを思うし、外が雨降ってたら晴も学校まで行くの大変だろうなあ、ってなんとなく心配しちゃうし！　そんな感じで、だから私これから晴と一緒にいろんなところ遊びに行ったり、卒業しても晴と遊びた――」

「ごめんなさい！」

「――いぃぃぃ⁉」

食い気味に断られた⁉

な、夏海ちゃん……。

「なっつん〜〜〜………」

悠愛はもう、ぶわっと涙を流してた。

夏海ちゃんも悲鳴をあげる。

「えっ⁉　どゆこと⁉　今いけそうな流れじゃなかった⁉」

「うち、好きな人がいるので、夏海先輩と付き合えません！」

ぐわんと夏海ちゃんが頭を揺らした。

「そ、そうだったんだ……。そっか、そっか、わかった……そーなんだ、へー、そっか……そうだよね、私たち女同士だし、そんなのありえないよね～～……うう、実は冗談……じゃないんだけど！　うう、ありがとう私に応えてくれて～～……」

「でも、先輩」

その場に崩れ落ちて死んだ先輩の近くに、晴ちゃんがしゃがみ込んだ。

晴ちゃんは、切なげに微笑んでる。

「実はうち、二度目の告白してきたんですけど、またフラれちゃったんですよ……」

夏海ちゃんは息を吹き返す。

「え……そ、そうなの？」

「そうなんですよぉ……だから、先輩の気持ち、わかっちゃうんですよね」

「いや、でもさ！　なにそれ、そいつ、晴のことなんにもわかってないよ！　晴はこんなに愛らしくていい子なのにさ～～！」

その憤りが伝染するみたいに、晴ちゃんも眉《まゆ》を吊り上げる。

「いくら先輩でも、うちの好きな人をけなさないでください！　うちはうちで本気だったんですから！」

「えっ⁉　ごめんね⁉　うかつだった！」

「許します！　先輩のこと、後輩として大好きなので！」

夏海ちゃんの顔がぱぁっと輝く。

「それすっごく脈あるじゃん！　ねえカノジョ、私と付き合わない⁉」

「失恋したばっかりの後輩を口説《くど》くとか、人としてどうかと思いますよ⁉」

「ごめんね！　ついつい気がはやっちゃって！」

「許します！　先輩のこと、先輩として尊敬してるので！」

「先輩としてかあ〜〜〜！」

やがて、ふたりは笑い合った。

それはどこからどう見ても仲のいい先輩後輩で。片方が告白して、片方がフラれたっていうのに、ぜんぜん気まずくなってない。

なんか……いつものノリがそのまま続いてるみたいだ。

悠愛が耳元でささやいてくる。

「これ……フラれちゃったんだよね、なっつん」

「そうだと思うけど……」

顔を見合わせる。だけど夏海ちゃんと晴ちゃんはどことなく幸せそうに寄り添い合って、テンポのいい掛け合いを続けてた。

告白した以上友達のままではいられず、恋人でもないはずのふたりなのに。

なんだかすごく、不思議なものを見てる気分だ。

なんだろう、これ。

……奇妙な光景だけど、でも、悪い気分じゃなかった。

「まりか、これどういうことなんだろ……」

「よくわかんないけど、でも」

ふたりを眺めながら、つぶやく。

「女の子同士だから……なのかな」

それはきっと理由のぜんぶじゃない。けど、そんな気がした。

ふたりの共有した時間の長さ。友情や立場で繋《つな》がれた彼女たちの絆《きずな》は、告白後ですら、結びついたままだった。

夏海ちゃんの魅力を、晴ちゃんはもう十分にわかってたから。

だから、告白されて嬉しかった。自分の恋も諦められないから、付き合うことはできないけれど、それでも……夏海ちゃんががんばれば、ふたりの関係性はまだまだ変わってゆくんじゃないかな。

はー、と感心したみたいに悠愛がため息をつく。

「ハッピーエンドでもバッドエンドでもないことって、あるんだねえ」

「なんか、人生、って感じだね」

もしかしたら夏海ちゃんの良さを十分に知った晴ちゃんが彼女を受け入れて、恋人同士になったり。それとも、夏海ちゃんにまた好きな人ができて、ふたりは親友同士になったり。

どちらにせよ、これからも関係は変わってゆく。今はまだその途中なんだ。

「……いこっか、悠愛」

「うん、そだね」

勇気を出した夏海ちゃんが開いたのは、楽園の扉ではなかったけれど、その先にはまだ道が続いてた。

歩き続ける限り、夏海ちゃんはきっとどこかにたどり着けるだろう。その隣に誰が立ってるのかは、そのときにならないとわからなくて。

でもきっと夏海ちゃんは幸せで、隣に立つ人と手を繋いでるだろうから。

もう夏海ちゃんを見守る理由もなくなったあたしたちは、そっとこの場を離れようとして。

「あっ、じゃあひとつ教えてほしいな⁉　晴はその人のどこらへんが好きになって告白したの⁉　これからの参考にしたいので！」

ぴたりとあたしの足が止まった。悠愛が「うん？」と怪訝そうに見てくるけど、あたしは待ったのジェスチャーを送った。

これは完全に盗み聞き。いやでも、カノジョのモテる理由、聞きたいじゃん……。

なんだろう。優しいところかな。町中で助けられたとか。

あるいは中学から知ってて、その頃から片思いを続けていたとか。

女の子が恋に落ちたなんて、どんなロマンチックなきっかけがあったんだろ。

晴ちゃんの嬉しそうな声が聞こえてきた。

「入学式に見かけたとき、まるでお姫様みたいな人がいる！　って思って！　だから、一目惚《ぼ》れです！　つまり、顔ですね！　顔がすごくタイプだったので！」

「なるほど～～！　参考にならないねえ～～！」

うん。

夏海ちゃん、ゴールは案外近いかもしれない。がんば！


いい話に終わりそうだった夏海ちゃんと晴ちゃんのひどいオチにこけそうになりつつ、あたしと悠愛は教室に戻ってきた。

がらんとした教室の窓側の席に絢と知沙希がいて、あたしたちを待ってた。

夕紅色に染まるクラス。「よ」と手を上げる知沙希の顔はほのかに赤い。

「あ、ちーちゃん」

あたしは悠愛を肘《ひじ》で促す。

悠愛はあたしを見てうなずいた後、期待と不安を笑顔の裏にひた隠して、知沙希の元へと向かう。今度はあたしの親友のターンが回ってきたみたい。

「えと、あのね、きょうはちーちゃんに渡したいものがあって」

「ん」

絢はそれとなく、知沙希から距離を取った。あたしも絢の隣に移動する。

今度はあたしがさっきの悠愛みたいに、絢の腕に抱きつく。

あああ、心配だし、恥ずかしい。甘酸っぱい！

てか、こんなに緊張してる知沙希も初めて見た。大人の男の人にナンパされても涼しい顔であしらうあの知沙希が、悠愛相手に視線をうろうろとさまよわせてる。

「バレンタインだろ？」

「え、うん！　あたしの手作りだよー」

かわいいラッピングに包まれた、悠愛渾身《こんしん》のマカロンだ。透明部分のビニールから中が透けて、二色のかわいいお菓子《かし》が見える。

すっごくかわいい。さすが悠愛、勉強も宿題もせずに毎日ひたすらお菓子作りに没頭した日々の、集大成。お菓子作りの腕だけは一級品の女子。

心のこもった手作り品を受け取って、知沙希が頬を赤く染める。

「ありがと、ユメ」

「うん」

けど、悠愛も自分のことに夢中で、照れまくってる知沙希の様子には気づかない様子。

じーっと見つめながら、追加の言葉を期待してるんだけど。

「……って、それだけ？」

「いや、まあ」

知沙希は包みを手に、視線をそらす。

「割と、ユメの手作りお菓子、ごちそうになる機会が多いからな。今さら別に、目新しくもないよなって」

照れ隠しに、よくないことを言い出した！

「なにそれ」

悠愛は不満を顔に滲《にじ》ませた。むすっと恋人を見上げる。

「がんばって作ったんだよ」

「それはわかってるけど」

ハラハラして絢を見ちゃう。また知沙希の悪いくせが出た。形だけかっこつけようとする辺り。あるいは知沙希も、不安だったから絢と一緒に残ってたのかもしれない……って思ってると。

「松川《まつかわ》０点」

絢が割り込んだ！

「……辛辣《しんらつ》だな」

じろりと振り返ってくる知沙希。なになに？　という顔の悠愛。

しかし、空気を読まない絢は、本当にふたりのためになることをしようとしてた。可憐さんともあたしとも違う、自分だけのやり方で。

世話の焼ける友達に、絢はいつもの微笑を浮かべながら、

「いいから、さっさと出す」

その問答無用の言い草に、悠愛は「え、なに？」と、絢と知沙希を交互に見つめる。絢は知沙希をさらに追い込んでゆく。

「タイミング見計らっていつまでもまごまごしてると、私がぜんぶ説明しちゃうよ。でもそっちのほうが、カッコ悪くない？」

知沙希も絢に焚《た》きつけられては、立つ瀬がないみたいだ。

「わーったよ、アヤ」

さすが絢。意地っ張りの扱いが誰よりもうまい。きっと慣れてるんだろう。いや他の意地っ張りが何原鞠佳かっていうのは知らないけど。

知沙希は切れ長の瞳に、不安そうな悠愛を映し出す。

「あのな、ユメ」

「うん」

机の引き出しの中から筒状の箱を取り出して、悠愛に差し出した。よほど意表を突かれたのか、悠愛は当選した宝くじの番号を改めて確かめるみたいな顔をする。

「えっ⁉　……こ、これは？」

「プレゼント」

「…………………ええっ⁉」

悠愛は完全に固まった。知沙希は仏頂面で、まるで決まりきった文面を読み上げるように、感情を込めず淡々と続ける。

「口でいろいろ言うのが恥ずかしくて、ほんとムリだから。手紙書いてきた」

「手紙⁉」

悠愛の口からきょうイチ大きな声出た。

危ない。あんまりに予想外で、あたしも一緒に叫ぶところだった。両手で口を覆《おお》う。

「いや、ま……付き合って一年、いろいろあっただろ。だから……ちゃんと、手紙にしてきたんだよ。いろいろと思い出を振り返ったりして、書いている時間もけっこう楽しかったよ。あとで読んでくれると……ま、嬉しい」

筒状の箱の上に、猫マークのかわいい便箋《びんせん》（しかもけっこう分厚い）を載せられて、悠愛はもう言葉も出ない。ぽかーんと口を開けたまま知沙希を見上げてる。

それと、知沙希は思い出したように。

「ああ、あとな。アスタロッテとはなにもないからな！　そっちの勘違いだから！　いくらわたしでも、カノジョいるのに他の女に手を出したり、しないから。だから」

知沙希がぎょっとする。

悠愛の目から、涙があふれてた。

「うわ」

「ち、ちーちゃん……あたし、あたしぃ……」

わなわなと震える悠愛は抱きついていいのかどうか迷ってるようだったけど、むしろ知沙希のほうから悠愛をぎゅっと抱きしめた。

「ちょ、ちょっと、オーバーだって……」

「ふだん、あたしがどんなに好き好き言っても、ずーっとそっけなかった蠟《ろう》人形みたいなちーちゃんが、こんな、こんなに手厚く～～……夢みたいぃ～～」

「悪かったよ！」

しばらく動かなくなったふたりを眺めつつ、あたしはこっそりと絢に耳打ちする。

「あの手紙って、絢が言ったの？」

「うん。私もお店でみんなにご挨拶《あいさつ》するとき、最初は手紙に書いてきたからね。口べたには効果あるんだよ」

「へー……」

知沙希は悠愛を、よしよし、と慰めてたりする。

「その手紙って、残ってたりする？」

「鞠佳には見せないよ。ぜったいだめ」

にべもなく断られた。絢の努力してきた証《あかし》なんだから、笑ったりしないのになあ。

知沙希から許可をもらって、悠愛がプレゼントの包み紙を開く。

女子高生向けブランドの、レディースネックレス。シンプルで、ハートモチーフの飾りがとってもかわいらしかった。

これは、あたしと絢が一緒に選んだものだ。

「……いちお、ペアネックレスだからそれ。嫌なら、別につけなくてもいいけどさ」

知沙希が胸元《むなもと》からチェーンを引き出すと、そこに輝く色違いのハートモチーフ。

悠愛はさらに号泣した。

「ぢーぢゃん、ぢーぢゃんー！　あいじでるぅー！　あだじごれ一生外ざないねえー！」

「うわ、ぶっさ……」

「びどいー！　でもあいじでるー！」

「あーはいはい……わたしも愛してるよ……」

抱きしめられるまま、知沙希はもう呆れ顔だ。

いやでも、今までどんだけアメを与えてなかったのか。

絢と目が合う。絢もあたしと同じことを考えてたみたいで、苦笑いしてしまった。

「……ほんとめんどくさいやつらだよね」

「ふふ」

しかし、どうしても頬が緩んでしまうのは仕方ない話。だって、めでたしめでたしだもんね。あたしはほとんどなにもしてないけどね！

「もう、大丈夫だよね。いこっか、絢」

「うん、そうだね」

頃合《ころあ》いを見計らって、あたしと絢が先に教室を出ようとしたところで、後ろから声が。

「まりかあ」

悠愛がティッシュで鼻をかんでから、ぐずぐずの笑顔を浮かべる。

「ありがとぉ～……あたしたち、幸せになるからぁ……」

「ああ、はいはい。結婚式には招待してよね」

「うん～～！　スピーチおねがいね～～！」

隣に寄り添って立つ知沙希も、今は透明感のあるさっぱりとした顔で笑ってた。

「アヤ……いろいろ、あんがとね」

「ううん。私も楽しかったから。また明日ね」

「ああ」

ぎゅっと手を握り合う知沙希と悠愛の胸元には、まるで愛の結晶みたいにペアネックレスがきらめいてた。

「また明日」

「またあしたねぇ〜！」

あたしと絢は、言葉少なげなままで歩いていく。

お互い、友達の幸せを何度も思い出しながら、噛《か》み締《し》めてた。まるで素敵なラブロマンス映画を見た帰り道のようだった。

下駄箱《げたばこ》を出て、駅までの道のり。

どこかお祭りが去った後のような、センチメンタルなムードの中。

絢は前触れもなく、おもむろに包みを取り出した。

「はい」

ラッピングに包まれた、市販のチョコレートだった。

「お、絢からのチョコレートだ。用意してくれてたんだ」

「うん。鞠佳はたくさんもらうだろうから、迷惑かもって思ったんだけどね」

気遣いの女の子、不破絢。集団の空気は読めなくても、1対1のケアはばっちり。

もっとわがままになってくれてもいいのに、って思うときも割とあるけど。いや、学校でいきなり襲いかかってくるとか、そういうことではなく。

あたしは笑顔で絢からのチョコレートを受け取った。

「大丈夫大丈夫。想いのこもったチョコレートは別腹だから」

ぎゅうぎゅうの鞄の一番上にそっと重ねる。インスタで告知したおかげで、今年は紙袋なしで済んだ。

「むしろ、絢こそチョコレートたくさんもらって、大変じゃない？」

かたや絢も、重そうにバッグを抱えてる。この子、友達はいないくせに、あちこちでチョコもらってるようだ。やはり顔……。

「高校に入ってからはそうでもないよ。バーのほうも可憐さんが、プレゼントに食べ物はだめですよ、って言ってくれてるから」

「なるほど。……なんか、すごい金目のものが集まってきそう。サイフとかブランドバッグとか。あのお店のお客さん、貢《みつ》ぐの大好きそうだし」

「そういうのも、ちゃんと返すルール。お店の主役は、あくまでもお客様。私たちはキャストじゃなくて、ただのバーテンダーだもの」

「しっかりしてる。さすが可憐さん」

従業員をダシにすればいくらでも稼げそうなのに、夜のお仕事とはちゃんと区別してる辺り、可憐さんのプロ意識と美学が見え隠れする。

高いものを受け取っちゃだめっていうのも、金銭感覚が狂うからなんだろうな。実際、他のバイトとかできなくなっちゃいそうだし。

「ごめんね」

するど、急に絢が謝ってきた。え、不穏。

「私、男女問わずにモテるから」

「あ、はい」

思わず真顔になるけど、絢はいつもの冗談ではなく。

「鞠佳、いやな思いをしちゃわないかな、って」

「えーと……嫉妬的《しっとてき》な？」

「うん」

そこで笑顔を作って『かわいい彼女がモテるのは、彼女として鼻が高いよ！』って言うのは、簡単だったけど。

晴ちゃんのことを思い出して、チクリと胸が痛むから。

あたしは小さくうなずいた。

「うん、ま、ちょっぴり」

妬《や》けちゃうし、不安にもなっちゃうし。

仕方ないことだけどさ。学校でお互いの関係を秘密にしようって言ってるのはあたしなわけだし。

素直なあたしの言葉に、絢も白い息をはく。

「そうだよね。だって私、鞠佳があんまりにもモテてたら、ふたりだけの島に移住したくなっちゃうもの。ちなみに今回はけっこうギリギリだった」

「あたしスマホ圏外には住めないからね！」

先に通告しておく。身も心も現代っ子なのだ。

「てか、あたしは八方美人だから、それでたくさんチョコもらってるだけだよ。本命とかまったくないから。あたしみたいなキャラにはあげやすいんだよ」

付き合いが広く浅くなのだ。

対して、絢にはガチ恋勢が多い気がする。

絢と交際を続ける限り、これは永遠につきまとう問題だ。

『もうモテないで』ってお願いしても、道行く人々が次々と振り返る美女の絢。一年中きぐるみで生活させるわけにもいかないので、どうにか納得するしかない。

今回の件は、それが早めにわかってよかった。

絢はきっと大学にいったら大学でも猛烈にモテて、社会人になったらなったで大量の老若男女にアプローチされるだろう。

中にはすっごいイケメンとか、高層ビル持ってるような社長とか、あるいはそれこそあたしなんかより遥《はる》かにスペックの高い美人とかが現れるかもしれない。

今から怯えてても仕方ない話なんだけど……でも、希望があるとしたら、それはあたしひとりでがんばらなくてもいいってことだ。

「それに、絢はあたしだけを見ててくれるんでしょ？」

「もちろん」

凛《りん》とした響きとともに、絢が断言する。

「ずっと見てるよ」

嘘偽《いつわ》りのない、絢の本音。

少し早歩きで前に進み出る。

あたしは振り返って、絢に微笑んだ。

「だったら、ちゃんとそれを証明し続けてね。あたしが不安になる暇《ひま》もないぐらい、身も心も徹底的に落としてよね」

自分ひとりの力だけじゃない。この恋を紡《つむ》ぐために、あたしだけががんばらなくてもいい。

こんなに心強いことはない。

ふたりでがんばれば、結びつきは二倍になるんだから。

絢もまた、張り切った笑みを浮かべた。

「うん、もちろん。これからもずっと徹底的に落としてあげるから」

それでこそ、あたしの絢。

モテすぎてジェラるとか、発情したときには見境がなくなって困るだとか、そんな欠点だって、上回るプラスでぜんぶ帳消しにしてもらうんだ。

「あのー……それじゃあ、早速なんだけど」

あたしは上目遣《うわめづか》いで、絢に求愛する。

「きょう、今から絢の家にいってもいいかな？　そこでチョコレート、渡したいから」

ちょっとだけ、絢の頬が赤くなる。

「うん……いいよ」

よし。

夏海ちゃんや晴ちゃん、悠愛や知沙希のバレンタインデーは一段落したけれど。

あたしの戦いはここから始まるのだ——。

エピローグ

ARIOTO
onnadoushitoka ARIENAIDESYO to iiharuonnanoka wo hyakunichikan de TETTEITEKINI otosu yuri no ohanashi

久しぶりの絢《あや》の部屋は、やっぱりきれいに片付いていた。

「もしかして、絢の部屋に来るの、今年に入って初めてかな？」

「そうかも」

絢がエアコンのスイッチを入れて、あたしはマフラーを外す。コートを脱《ぬ》ぎ、その場にちょこんと足を折って座る。

夏海《なつみ》ちゃんや悠愛《ゆめ》を見守ってたときもドキドキしてたけど、今はそれ以上だ。やっぱり自分が当事者になるっていうのは、トクベツな感じありますね。

できれば先にシャワーでも浴びてきたい気分なんだけど、タイミングが難しい。

それを言ったら『えっちする気満々じゃん』って思われそうだし、警戒されるわけにもいかないので……。

あたしが悩んでると、ベッドに座ってた絢が物欲しそうな目でこっちを見やる。

「それで、ちょうだいって言ったほうがいいのかな」

そうそう、名目では一応チョコを渡すために来たんだった。

いや名目じゃないよ。一生懸命がんばって作ったわ。

「言ってくれたら、確かに渡しやすくはあるよね」

「じゃあ、鞠佳《まりか》」

絢がまるで女王様みたいな目をして、ベッドから降りてきた。

前かがみになって、あたしの頰《ほお》を撫《な》でる。

「ちょうだい、チョコレート」

思わずかしずいて、つま先にキスしちゃいそうになる迫力……。

あたしは鞄《かばん》の別ポケットに入れておいた、ピンクのリボンつき手作りチョコ。潰《つぶ》れないように小箱の中に入れてチョコレートを出して、はい、と絢に差し出した。

「あたしの手作りだから……あんまり、味のハードルはあげないでね？」

受け取りざまに、絢の顔が近づいてきて、あたしの唇にキスをした。

チョコよりもずっと甘い口づけが、ちゅっと音を立てて、ほんの一瞬で去ってゆく。

「ありがとう、鞠佳。うれしいな」

お気に入りのぬいぐるみのようにチョコレートの箱を抱く絢。

ちっちゃい子みたいにニコニコとしてるから、胸がきゅんきゅんしてしまう。

「鞠佳のカノジョになれてよかった。がんばって作ってくれたんだよね。大事にたべるね」

心から幸せそうに、絢は微笑《ほほえ》んでた。

うっ、なんて魅力的な笑顔……。がんばったチョコレート作りも、これだけで報われたって思っちゃう……。

なんかもう、満足感でいっぱいだ。

好きな子の無垢《むく》な笑顔が見られたんだったら、もうそれで十分なのでは？　これ以上なにかを望むなんて、そんなの贅沢《ぜいたく》すぎるのでは……？

というわけで、あたしのバレンタインデー大作戦はこれにて終了！

続きはまたの機会に……。

ってひとりだったら思ってたかもしれないけど！

夏海ちゃんだって告白したし、悠愛だって勇気を出したんだろ！

やると決めたらやるんだ！

「あ、あのね、絢！」

「うん？」

チョコレートを顎《あご》の下に当てて、ご満悦の絢。

「実は、もうひとつプレゼントがあるんだよ」

「そうなの？」

腕に抱かれた猫みたいに、安心しきった表情の絢が首を傾《かし》げる。

「んー。手紙を書いてきてくれた、とか」

「ううん」

「いい匂《にお》いのアロマグッズ？　私も最近、鞠佳の影響でハマってきちゃったよ」

「じゃなくて」

「じゃあ、なんだろ」

顔が熱い。背中に汗をかいてそう。

「それも、ちょうだいって言えばいい？」

「あー、まあ、そうかも」

あたしは後ろ手に、リボンの輪っかを指に嵌《は》めた。

チョコレートを出すときに一緒に出した、同じ柄のリボンだ。

ドキドキする。心臓が口から飛び出そう。

絢はさっきまでの態度とは違い、かわいらしくおねだりをしてきた。

「じゃあ、ちょうだい、鞠佳」

「うん」

あたしは淑《しと》やかにこくりとうなずいてから。

精一杯はにかんで。

左手の薬指を見せつけた。

「もういっこのプレゼントは……あ、い、あたし、だったり」


どっと汗が噴き出る。

シーン……という静寂《せいじゃく》が、耳に痛い。

笑顔で固まったまま、絢を見つめる。

あたしの恋人は、毒気を抜かれたような顔でこっちを見返してる。

ほら、バレンタインデーだから、こういうのやってみたんだよ、どうかな、ね、ね⁉　と、今すぐにまくし立てて、冗談にしちゃいたいような発言だけど……大丈夫、大丈夫なはずなのだ。

絢はこういうのに弱い。伊達《だて》に半年以上付き合ってるわけじゃない。あざとくて、女の子らしくて、王道な誘惑こそが、絢の弱点なのだ。これが正解なのだ。

そうだよね、そうでしょ？

だから、早くなにか言ってよ！

見つめ合ったまま、時が過ぎていく。

爆笑でもされたら、生きていけなくなっちゃいそう！

ねえ、絢！　まだ⁉

あたしの内心の恥辱《ちじょく》を楽しんでるわけじゃないよね⁉

と、そろそろあたしが分析した絢攻略の効力を信じられなくなってきたところで……。

ようやく、絢が動いた。

ひんやりとした手が、あたしの頬を撫でる。

「鞠佳」

絢が一途《いちず》にあたしを見つめてる。

愛欲でも、情欲でもない。

ただひたすらに真摯《しんし》な、相手の未来をともに描くような瞳《ひとみ》。

ああ、よかった。

あたしの想《おも》いはちゃんと、絢に届いてた。

絢はあたしに、最初で最後の問いを投げる。


「いいの？」


今さら迷うことなんてない。怖くない。

絢が相手なら。

「うん」

あたしは両手を広げて、絢の想いを受け入れる。

「いいよ、もちろん。あたしをもらってくれる？　絢」

「うん、鞠佳」

絢が覆《おお》いかぶさってきた。

「愛してる」


脱がされた制服が、床に散らばってる。

あたしはベッドに横たわって、絢を見上げてた。

いつも楽しげにあたしの身体を弄《いじ》り回す絢は、今ばっかりは痛いほどに真剣で、見てるこっちが緊張してしまう。

初めて絢に抱かれた日のことを思い出す。

あれはなんか、どさくさに紛《まぎ》れて……みたいなやつだったからなあ。絢も百日間で落としてやるって息巻いてたし。

こんな風に、ふたりで前に進もうってしっかり決めてするのは、初めてかも。

胸の上に置いてた腕をやんわりとどかされて、絢が下着を外してくる。されるがままのあたしに、絢が口づけ。いつもよりずっと優しいキスに、心も裸にされるみたい。

繰り返し、何度もキスをされる。

しばらくそのままずっと、唇がふやけちゃいそうなほどに。

絢の目が、好きだよ、好きだよ、とずっとささやいてくれてるようだった。

「絢のこと……好き」

「私も、鞠佳のこと、だいすき」

ぞんぶんに頭を撫でてもらう。そのまま絢の手のひらは下の方へと滑り落ちていこうとして、急に動きが止まった。

「ちょっとまってね、鞠佳」

絢も、自分の制服を脱ぎ始めた。

ブラを外して、あたしの前でスカートだけの姿になる。均整の取れた理想のプロポーションを見せつけられて、あたしは思わず顔を手で覆った。

「うわ、きれい……」

海外女優のインスタを等身大に引き伸ばして印刷したような、それよりももっと芸術的で……そして、どこかやらしい絢の裸だ。

こんなにきれいな人と相思相愛《そうしそうあい》なんて、あたしの人生でもう二度とないんじゃないかなって思ってしまう。

「鞠佳こそ、とってもかわいいよ」

でも、贅肉《ぜいにく》が……と以前のやり取りを思い出しそうになったところで、絢が再び覆いかぶさってきた。目を細めながら、あたしの胸に指を這《は》わせる。

「んっ、んんっ……」

いつもの絢が貪《むさぼ》るような責めだとすれば、今はデザートを一口ずつ口に運ぶみたいな指使いだ。ほんのわずかな隠し味までも味わい尽くすように、あたしの隅々を丹念に撫でてゆく。

胸や首筋、鎖骨《さこつ》や腕へと。肌に絢の体温が擦り込まれてゆく。

すごく、心地いい。穏やかな刺激に、全身が溶けていっちゃいそう。

でも、これ、普段が普段だから……なんか、たっぷり焦《じ》らされてるみたいで。

「あや……」

「……」

求めに応じず、絢は舌を尖《とが》らせてあたしの胸をなぶる。

すぐにあたしは喘《あえ》ぎ声を押し殺しながら、背中を何度も浮かせてしまった。

絢の首に腕を巻きつけながら、じっとその瞳を見つめて訴える。

「ねえ、あや……」

切なさを慰めるみたいなキスをされるけれど、あたしの気持ちは高ぶったまま。

本当は、最初のキスの時点で、すっかりできあがってしまってたんだと思う。

だめだよ、がまんできない。

ずっとずっと、絢とこうなりたかったんだもの。

あたしは絢の脚に脚を絡《から》める。

はしたなく、押しつける。

「お願い、絢……あたし、もう……」

「……うん」

こくりとうなずいた絢が、あたしのスカートのホックを外して、ファスナーを下ろす。汚れちゃわないように、ショーツをずり下ろしてゆく。

いよいよだ。

心臓の音が外に聞こえちゃいそう。

緊張よりも期待が、不安よりも喜びが膨らんで、その感情はぜんぶあたしの瞳から漏《も》れ出ちゃってる。

夢にまで見たような瞬間が、ようやくやってくるんだ。

絢はあたしの下のほうをやわやわとなぞる。だけど、言うまでもなくそこはもう準備が整っていて。

絢の指をなんなく受け入れてしまう。

「んっ、あっ……絢ぁ……」

「………」

「ああっ、あやっ、あっ、あっ」

敏感な部分を指の腹で擦《こす》られて、あたしはいやいやと首を振る。すっごく感じちゃうけど、でもこのままじゃすぐに達しちゃう。

今は気持ちよさじゃなくて、絢の感触を少しでも覚えていたいから。

「ね、ねえ、絢……もう、いいよ、あたし……もう、だいじょうぶだから……」

「……うん」

「おねがい」

潤《うる》んだ視界で、あたしは手を伸ばす。

絢の部屋にあったフィンドムの包みを手にして、彼女を見上げながら。

「あたしを、もらって……」

「……鞠佳」

あたしの手を抱きしめるみたいにフィンドムを受け取った絢は、その袋を破って、ゴムのカバーを取り出す。くるくると巻きつけるみたいに、指に嵌めた。

あの指が、これからあたしの中に入ってくるんだ。

絢の顔にも負けないほどに美人な、白い指が。

身体を持ちあげて、あたしを見下ろす絢の目は、前髪に隠れてよく見えない。

「鞠佳、愛してるよ」

「うん、あたしも、愛してる……」

お母さん、ごめん。初めては男の人じゃなかったけれど、でも、こんな風に愛してもらえるのはきっと、すごく幸せなことだと思うから。

実際がどうとかじゃなくて、あたしは絢と結ばれる。結ばれたんだって心から思えたなら、あたしはきっと、これまで以上に絢のことを大切に感じられるはずだ。

つぷり、と絢の指があたしの中に入ってくる。

あたしは目を閉じた。全身で絢を感じる。

一生にただ一度だけ訪れる瞬間を、待ち望む。

この日を、あたしはきっと永遠に忘れないだろう。

「ん……あぁ……」

フィンドムの感触はいまいちよくわからない。けど、それが絢の身体の一部であることが今は、すごく安心するから。

「あ、あぁ……」

指があたしの中をかき分けていって。

それが、ぴたりと止まった。

止まって、しばらくしてから。

ぽたりと、あたしの胸の上に水滴が落ちる。

薄目を開く。

「絢……?」

呼吸が止まる。

大きく目を見開いた絢は、ぼろぼろと涙をこぼしていた。


こんな絢、初めて見た。

どうして。

「まりか」

「ど、どうしたの、絢」

するりと指が引き抜かれる。

「できないの」

ゴムはまっさらで、きれいなまま。

絢はつらそうに、その指に目を落として。

「ね、絢……」

絢はあたしを見下ろしながら、涙を流してた。

「ごめん、まりか。私、まりかのことが好きだから」

あたしにしてくれるとき、ずっといつもと様子が違っていた。

でもそれは、あたしのことを真剣に思ってくれてるからだと思ったんだけど。

そうじゃなかったんだ。

絢は自分の中のなにかを、必死に押し殺して。

きっと、あたしがしてほしいって言うから、あたしの願いを叶《かな》えるために、がんばってくれてたんだ。

ぜんぶぜんぶ、あたしのために。

あたしが、こんな形で無理矢理、絢を焚《た》きつけたから。

絢が食い止めてた感情は今、涙となってあたしの胸を濡《ぬ》らした。

「あいしてるの、まりかのこと……、ずっと、守ってあげたいっておもってるのに……。ごめんね……」

なんで謝るの、絢。

悪いことなんて、ぜんぜんしてないのに。

「わかってるよ、ちゃんと伝わってるよ。あたしも絢のこと、大好きだよ。あたしのほうこそ、ごめんね……」

あたしは絢を抱きしめる。

絢があたしを好きでいてくれてるなんて、そんなのあたしが一番よくわかってる。

胸が締めつけられるように痛い。

顔を手で覆って泣く絢の背中を、わけもわからずに撫でながら。

「……ごめん、ごめんね……」

「うん、うん……ごめんね、絢……」

ただひとつ、確かなことがあったとすれば。

瞳に涙を浮かべた絢は、雪のように儚《はかな》くて。

ゾッとするほどに、きれいだった。


あたしたちはひとつのベッドの中、裸で抱き合ってた。

「ねえ、絢、少しは落ち着いた？」

「……うん」

赤い目の絢が、力なく、こくんとうなずく。

絢が最後までできなかった理由は、すっごく気になるけどさ……。

どうしたの？　とか、なんで泣いたの？　だなんて、聞けないよね……。

空気読んでるわけじゃない。踏み込むのがこわいわけでもない。いや、ちょっとはこわいけど……でも、違う。

ただ、あたしがそういう風に聞くことによって、これ以上絢を追い詰めて、傷つけちゃうかもしれないのが嫌だった。

「絢の身体、あったかいね」

「……うん、鞠佳のからだも」

しかし、こういうときなんて言えばいいんだろ！

次があるよって励ます？　改めて次回のスケジュール組み直すとか……。

いや、切り替えが早すぎるのも違う気が！

いや、正直に、正直に反省しよ……。

「あたしのほうこそ、ごめんね。なんだか、焦《あせ》ってたのかも……」

「……」

「絢が愛してくれてるの、ちゃんとわかってたのに、なんかそういう、証《あかし》？　みたいなのをほしがってて……ほんと、ごめん」

ぎゅっと、絢があたしの腕に抱きついてくる。

「ううん、鞠佳はわるくないから」

その弱り切ったような仕草に、あたしは……。

「絢……」

えっ、やば、かわいいんだけど絢……。

なにこれ、普段の絢とぜんぜん違って、すごく庇護欲《ひごよく》をくすぐられる……。

やばい、かわいい、どうしよう、かわいい！

いつもふてぶてしい笑みを浮かべてるあの絢が、まるでお姉ちゃんに甘える妹みたいになってる……。

「絢のほうこそ、ぜんぜん悪くないって、大丈夫だよ。ね、お互いのペースで、ゆっくり歩み寄っていこ……よしよし、よしよし……」

絢の柔らかい身体を抱きしめながら、繰り返し頭を撫でる。

かわいい、かわいいな絢。しょんぼり絢、ちょっとどうかしてるほどかわいい。

「ねえ」

絢が幼い瞳であたしを見つめる。

「まりか、なんで胸を揉《も》んでるの」

ぎく。

「え、いや」

あたしはにぎにぎと手を動かしながら、絢に乾いた笑顔を浮かべる。

「元気出してもらおうと思って」

今の絢があんまりかわいかったから、ついつい抑えきれずに手を出してしまった……なんてことは、もちろん口に出せるわけがない。

ていうか違うし。励まし百パーだし。

じいっと見つめてきた絢が、小さく唇を開く。

「……ヘンタイ」

「うっ、ち、違うから！」

　至近距離で見つめ合ったまま、あたしはぶんぶんと首を振る。

「ていうか、絢だって昔、あたしが泣いてたときに『がまんできない』とか言って襲ってきたことあったよね！」

「……つまり、まりかは私とおなじレベルになった、ってこと？」

「いや、それもなんか、違う！　あたしはふつー！」

大げさに身を引くと、絢が「ふふ」と笑みをこぼした。

ようやく笑ってくれたことに、ちょっとホッとしつつ……。

絢はそのまま、頭をあたしの胸に押しつけてくる。

「ありがと、鞠佳……。私のこと、そんな風に元気づけようとしてくれて……」

「え⁉　う、うん、そうだね、うん、よしよし……」

なんだその、うん。今回のことは、墓場までもっていくことにしよ……。

絢がずりずりと下のほうに這ってゆく。

「ん、絢？」

「さっき、してあげられなかったから」

「えっ、ちょっ、えっ⁉」

絢はあたしの鼠径部《そけいぶ》辺りに移動して、腰の下にクッションを挟み込んできた。

や、まさか。

「してあげるね」

ぬるりとした粘膜の感触に襲われて、あたしは思わずくぐもった声をあげた。

「あ、あの、あの、絢さん⁉」

毛布《もうふ》をめくりあげると、絢の表情はまだどこか弱々しかったけど、それはそうとしてこれみよがしにちろりと舌を見せてくるものだから。

「べっ、別に、してほしいとか、そういう催促だったわけじゃっ、んんっ」

問答無用。あるいは、先ほどの失点を取り返そうとしてか。

絢の情熱的な愛撫《あいぶ》があたしのそこを襲う。

指を咥《くわ》え、あたしは悶《もだ》えるばかり。

「ね、ねえ、絢、ちがう、ちがうんだってばぁ！」

絢は返事をする代わりに大きく吸いついてきて、あたしの意識はあっという間に真っ白にされた。

その後もなかなかやめてくれず、あまりにもねちねちとした責め手に、あたしはずっとなんにも考えられなくなってしまった。

ひとしきり満足した絢は、ようやくいつものやらしい笑みを浮かべ、あたしの顔を覗《のぞ》き込みながら。

「まだまだ、逆転させるつもりは、ないからね」

「ふぁ、ふぁい……」

それこそ腰砕けみたいな気分で、あたしは息も絶え絶えにうなずいたのだった。

＊＊＊

結局、絢の涙の理由は聞けないまま。

あたしたちはいつもどおりに別れて、それからこのことには触れないように過ごした。

絢は相変わらず優しくて、きれいで。結ばれるとか結ばれないとかどうでもよくなるぐらい、幸せな日々が続いた。

けれど、なんとなく予感はあった。

いつか、このことにあたしたちは向かい合わなきゃいけないんだ、っていう予感。

ただ、それは今じゃなくて、きっとある日突然、運命のように降《ふ》り注《そそ》いでくるものだと思えたから。

与えられた猶予の中。これからなにがあったとしても絢のことを支えられるように、あたしはがんばろうと改めて決意したのだった。

と、こうしてあたしたちは、穏やかに時を重ね、高校三年生に進級する。

——新しい出会いの季節。あたしたちに春が訪れた。

［書き下ろし短編］

百日間で徹底的に落とされた女の子と、どうしてもあと一歩が踏み出せない女の子のお話

ARIOTO

annadoushitemo ARIENAIDESYO to iiharuonnanoko wo hyakunichikan de TETTEITEKINI otosu yuri no ohanashi

絢《あや》はスマホの時計を眺める。どうやらこの分だと、時間ぴったりに到着できそうだ。

コツコツと靴音を鳴らして、待ち合わせ場所の映画館へと向かう。映画館の中にいれば知らない人に声をかけられる確率も少なくなる。駅前よりも、安全な待ち合わせ場所だ。

バレンタインデーから、一週間が経《た》った。

学校では、鞠佳《まりか》と当たり障りのない毎日を過ごしている。

ふたりきりになるのは、あのとき以来だから、少し、緊張していた。

（はずかしいことを、しちゃったから）

涙を見せてしまったのもそうだし、あんな泣き言を口走ったのも鞠佳を勘違いさせてしまったのではないかと、密《ひそ》かに怯《おび》えている。

不安はむしろ、日毎《ひごと》に大きくなっていた。

ずっと弁解のタイミングも得られなかったから、さすがにきょうはその話をしないわけにはいかないだろう。

（だまってるのは、よくないもんね……）

自分は口下手《くちべた》のコミュ障《しょう》だという自覚があるので、せいぜい誤解をこじらせないように精一杯お話ししなければ……。

暗澹《あんたん》たる気持ちで、シリアスを抱えていると、だ。

「絢、こっちこっち！」

映画館のチケット売り場の近くに、鞠佳の姿があった。

いつものようにお日様の笑顔で、絢の元へとやってくる。辺りがふわっと明るくなったような気がした。

「毎回、時間ピッタリ。頭の中に電波時計入ってるの？」

「そういうわけじゃないけど」

当たり前だ。鞠佳だって本気で絢の頭部が改造されているとは思っていない。

ああ、つまらない答えを返してしまったな、と絢は思う。普段はいちいち気に病んだりはしないが、今は心が沈み込んでいるため、些細《ささい》なことにもネガティブな感想を抱いてしまう。

せっかく、鞠佳とのデートなのに。

「あと十分ぐらいで開場だね。ね、絢はなにか飲み物いる？」

「うん。買いにいこ」

「はーい」

しかし、鞠佳の態度はいつもと変わらず。

先週のことなんて、まるでなかったかのように、自然な振る舞いを続けている。

もしかして忘れているのかな？　なんて解釈できるぐらい幸せな脳をしていたんだったらよかったのだけど、そういうわけにもいかない。絢はどちらかというと、ネガティブな記憶を色濃く覚えているタイプだ。

となると、なかなか絢も話のきっかけを摑《つか》めずに、鞠佳が振る話題に相槌《あいづち》を返すばかりになってしまう。それもワンテンポ遅れて、たどたどしく。

もともとマルチタスクが不得手な自覚はあったのに、今回は特にひどい。

映画館で隣同士の席に並んでスクリーンを見上げているときでも、絢は鞠佳の横顔に気を取られてしまったりして。

（ああ、悪循環だ）

せっかく来たのだから、映画に集中しなければならないと自分に言い聞かせているせいで、逆にどんどん集中ができなくなる。

話題になっていたアニメ映画の内容も、楽しみにしていたはずなのに、せいぜい大筋を追うのがやっと。

（……諦《あきら》めよ）

どうしても気になったら、またひとりで来ればいい。

絢は深くシートにもたれ込む。

ときおり、鞠佳の様子を窺《うかが》うと、彼女は誰《だれ》にも見られないようにハンカチを握りしめて、目を潤《うる》ませていた。スクリーンにも負けないぐらいきれいな表情が見られたから、まあ、もとはとったかな、と思うことにした。


映画館を出て、近くのカフェに入った後のことだった。

鞠佳がおもむろに頭を下げてきた。

「え？」

「だから、ごめん！」

ごめんもなにも。

自分が謝ることはあれど、鞠佳に謝られることなんてひとつも思い当たらない。

がやがやとした店内の雑音を頭から追い出して、少し考えてから、尋ねる。

「ひょっとして、他に好きなひとが」

「それはありえないけど！」

食い気味に絢の言葉を断ち切ってから、鞠佳は肩を小さくする。

「あのさ……あたし……」

「うん」

休日で賑《にぎ》わうカフェは、このテーブルの周辺だけどこか深刻なムードが漂《ただよ》っているような気がする。

ちょっと、嫌だな、って思う。

女同士が向かい合っているだけだから、まさか別れ話とは思われないだろうけど、心情的にはその予行練習をしているような気分だ。

さらに言えば、絢自身にまったく心当たりがないことも、不安感に拍車をかけていた。

いったい、なにを言われてしまうのか。

緊張をごまかすようにマンデリンブレンドのブラックコーヒーに口をつけようとしたタイミングで、鞠佳がおずおずと声を漏《も》らした。

「ちょっと……えっちだったかな……って……」

…………。

鞠佳は顔を真《ま》っ赤《か》にしている。

静かにカップを置いて、絢は聞き返した。

「え？」

「いや、だから！」

鞠佳は自分の髪をふわふわと弄《もてあそ》びながら。

「なんかさ、今回のあたし、けっこうがっついていたっていうか……」

……鞠佳は普段からあんなものでは？

「んー……」

なにを言うべきかと、言葉を探す。

（だいじょうぶだよ、安心して。鞠佳はいつもえっちだよ）

今がそう言って微笑《ほほえ》むタイミングじゃないことぐらい、絢にだってわかる。

「自分で、そう思うの？」

「うん、まあ、はい……。だって、なんか自分から、その、ゴム用意してまで、絢にしてもらいたがってたり……。あたし、暴走してたような気がして……。恥《は》ずかしい……」

「それは、ええと……」

「してもらうことばっかり考えてて、ぜんぶ絢におねだりしてて……そんなんじゃ、絢だっていろいろと考えちゃうよね……。甘えてばっかりで……よくないなって……」

あの鞠佳が、自分がえっちだということに真剣に悩んで、反省して、耳まで赤くしている姿は本当に、どうしようもないほどかわいかった。

普段なら、ここでもっともっと鞠佳のことを弄《いじ》り倒して、自分だけのかわいい鞠佳を味わい尽くしたいところなのだけど。

「……ごめんね」

絢もまた、頭を下げた。

「えっ？　いや、あの……まあ、あたしがこんな、えっちな感じ……になっちゃったのもぜんぶ絢のせいと言えば、確かに絢のせいだけども！」

「そういうことじゃなくて」

「なに⁉」

ただ恥ずかしいことを叫《さけ》ばされただけの鞠佳に、絢は目をそらしながら。

「私が……うまく、できなかったから」

「いや、それは……」

しょんぼりとつぶやく絢を見て、鞠佳が頭を抱えた。

「あーもう！　だからぁ！」

「……？」

「絢ってばあたしの前でかっこつけすぎだってば！　知沙希《ちさき》にぜんぜん言えないじゃん！　そういう空気になるのが、いやだったのあたし！」

鞠佳が恥ずかしそうに睨《にら》みつけてくる。

「だってなんかこれ、もう完全に、完全に……こう……初夜失敗！　みたいな雰囲気のやつじゃん⁉」

「え？」

絢はびっくりした。

鞠佳に言わせると、そういう扱いになるのか。

でもそれは問題を軽視しすぎというか……いや、必要以上に重く捉《とら》える必要はないと思うけれど……。

「それは違うんじゃないかな」

「いやあたしもよく知らないけど！　でもさ、絢ばっかり責任を感じるのも、ぜったい違うから！　違うからね⁉」

「うん……」

鞠佳の言葉に同調するようにうなずくと、不満げな顔をされてしまった。本当は納得していないことがきっちり伝わっている……。気まずい。

「ごめん」

「……絢」

うまくできないね、私。

なんて口に出せば、自分の心は軽くなっても、鞠佳に心配をかける。だから絢は、いつものようにぼんやりと視線を落とした。

そんな絢を見て、鞠佳はなにかを決意したようにうなずいた。

「わかった」

鞠佳が拳《こぶし》を突き出してきた。

「じゃんけんしよ、絢」

「なんで?」

「どうしても。ほら」

「理由を」

「するの! ほら!」

じゃんけんした。勝った。

鞠佳は愕然《がくぜん》とした後、失態を取り戻すかのようにさらに拳を振る。

「~~~っ! 二回勝ったほうが勝ちね⁉」

「う、うん」

今度は二連敗した。鞠佳がめちゃくちゃホッとした顔をする。

「よしよし……それじゃあ絢。負けたから、罰ゲームね」

「?」

流れがわからず、首を傾《かし》げる。

鞠佳は自分が世界でいちばん正しいとでもいうような顔で、もう一度指を突きつけてきて
「罰ゲーム」と言った。

その強引さには、思い当たる節がある。

(鞠佳は、わざと言ってるんだ)

バレンタインデーのことは鞠佳自身も悪いと思ってるから、絢だけに責任を押し付けるわけにはいかず。かといってこのままじゃ、絢がいつまでも気にしちゃうから。

だから間を取って『罰ゲーム』という形で、絢の気を晴らそうとしてくれているのだ。

(私に罪悪感があるから、それをかるくするお手伝い、だ)

愛しているゲームのときみたいに。

鞠佳なりに考えてくれた優しい収め方に、じんわりと胸が温かくなる。

「うん、わかった」

小さくうなずくと、鞠佳がぴくりと眉《まゆ》をあげる。

「……わ、わからなくても、罰ゲームは罰ゲームだからね！」

「私も今まで、さんざんしてきたもんね」

「そ、そうだよ。とーっても恥ずかしい目に遭わせちゃうんだからね」

「そうなんだ」

絢はそこでようやく、頬《ほお》を染めて笑った。

「じゃあ、楽しみにしてるね、鞠佳」

「楽しみじゃなくて、こわがってほしいんですけども！」

帰り道、鞠佳はずっと頭を悩ませているようだった。絢にどんな罰ゲームをしてやるか、なかなかアイデアが浮かばないらしい。

「普段から、させたい罰ゲームをメモしておかないから」

「ふつうはしないんだってば！」

鞠佳の家までやってくると、一応鞠佳もメドがついたみたいで。

だけどなかなか言い出せず、部屋に入っても、しばらくもじもじしていた。

その様子を見て、心がほっこりする。

「……なんかこれ、鞠佳にむりやり私を責めさせてるみたいで、ちょっとときめくね」

「くっ……ヘンタイめ……」

きょうは鞠佳の両親も外出してるみたいで、おうちにはふたりきり。

時間はたっぷりありそうだった。

その中で、鞠佳がいったいどんな罰ゲームをしてくるのかと思えば。

「はい、それじゃあベッドに仰向《あおむ》けになって」

「ん」

言うとおりにする。

これからされる罰ゲームより。鞠佳のベッドに寝転んだことのほうが、お泊りの日を思い出してドキドキしてしまう。

クローゼットからなにかを取り出した鞠佳は、緊張しながら絢の元へとやってきた。

「バンザイして」

「ばんざーい」

「もうちょっと上。そのへん。よろしい」

かちゃり、と金属音が鳴った。見上げると、そこにはファーに覆《おお》われたふわふわの手錠があった。両腕が手錠によって、ベッドのパイプに固定されている。

「ふふん、どう？　動けないでしょ」

これ見よがしにカギをちらつかせるドヤ顔の鞠佳を見上げて、こくりとうなずく。

「かんたんには抜け出せないかな。本気で暴《あば》れたら、手錠かベッドを壊しちゃいそう」

「お、大人しくしてよね」

ちょっと怯えた様子の鞠佳が、カギをテーブルに置いてから、絢の上にのしかかってくる。

「どんな気分？　不安？　心細い？」

立場を逆転させた鞠佳は、どこか気分よさそうに口元を吊《つ》り上《あ》げていた。

「自分で手錠買うなんて、鞠佳、実は拘束プレイまたしてほしかったのかな、っておもってる。気づいてあげられなくてごめんね」

「あたしが気に入ったから絢にもしてあげる♡　とかじゃないから！」

上気した鞠佳の顔が近づいてきて、その指が絢の頬を撫《な》でる。

「余裕ぶってられるのも、今のうちだからね。どう？　これなら前みたいに立場を入れ替えたりできないでしょ！　これからたっぷりと、絢を辱《はずかし》めてあげるんだから」

「蹴《け》らないようにがんばるね」

「大人しくしなさいよ⁉」

　腰の上にまたがられてはいるのだが、鞠佳は全体重をかけないように少し身体を浮かせているため、足だけでも簡単にひっくり返せそうだ。まあ、全力で押さえつけられても、専門的な拘束術の知識がない鞠佳相手なら、脱出するのは余裕なのだけど……。

　いけない。プレイの最中にこんなことを考えているなんて、ぜったいかわいくない。

　プレイには、たとえ演技であっても、常にお互いの協力が不可欠だ。普段から全力で素の鞠佳が特別なだけで。

　ここはなるべく鞠佳の希望に沿って、彼女を気分よくさせてあげなければ。

　絢はしなを作る。

「あんまりひどいことはしないでね……鞠佳」

「うっ、うん」

　従順な声をあげると、鞠佳は動揺したようにうなずいた。かわいい。

「し、しないけど、そんなの……。じゃなくて、絢が聞き分けよくしてたらね！」

　心の中で、がんばれ、と応援する。

即席ご主人さまの鞠佳は意を決したように、絢の身体に触れてきた。するするとタイツを脱《ぬ》がして、生脚を指先で薄くなぞってゆく。

「ん……」

こそばゆい。思わず身じろぎすると、身体の上から手錠の鳴る音が聞こえてきた。

なるほど。これは少し……もどかしい。

「絢ってば、こういうことされるの、初めてじゃない？」

聞いてきた鞠佳はすぐに、しまった、という顔をした。

前にも経験があると知ったら、自分が比べられてしまうとでも思ったのだろう。

思わず笑みをこぼして、絢は「ううん」と首を横に振る。

「はじめてだよ。鞠佳がはじめて」

「そ、そっか」

安心した鞠佳に、優しく頭を撫でられた。足を触れられるよりこちらのほうが恥ずかしくなって、また手錠がガチャリと鳴る。

「なんにも考えなくていいからね。あたしが気持ちよくしてあげる」

「……ん」

「いい子、いい子……」

頭を撫でられながら、スカートをめくりあげられる。

　別に裸を見られるのも慣れたと思っていたけれど、このシチュエーションのせいだろうか、妙に照れが出てきてしまう。

「なんか、これ」

「なに？　なになに？　どういう気分？　ほら、言ってみなさい、包み隠さずご主人様に。ねえ、仔猫《こねこ》ちゃん、ほらほら」

「迷惑……」

「迷惑⁉」

　言葉のチョイスを間違えたかもしれない。困る的なことが言いたかったのだが。

「と、当然でしょ、これは罰ゲームなんだから」

　それでも負けじと、鞠佳が手を動かしてくる。いっそ吹っ切れたのかもしれない。だんだんと遠慮がなくなってきた。下着の縁をくすぐられて、どうしても腰が動く。

　別にこれが別ゲームじゃなくて、ただのくすぐり合いっこでも起こりえる身体反応なのに、悔《くや》しい気持ちになるのはなぜなのだろうか。

「絢、ちょっときもちよくなってきたでしょ」

「……べつに」

「ふーん」

　鞠佳が余裕気に笑う。

その表情には、色気のある艶《つや》が滲《にじ》んでいる。

「下のほう、こんなになっちゃってるのにねえ」

「……」

うそだ、と絢は思った。自分の体のことは、自分がいちばんよくわかっている。だからこれは、鞠佳のはったりだ。

なのだけど……どうしてだか言い切ることができなくて、顔を背《そむ》けてしまう。

「かわいい、絢」

「……そんなこと、ない」

「かわいいよ、すっごくかわいい。世界一かわいい」

鞠佳の指がショーツの中に侵入してくる。

絢は身を固くした。横を向いたまま、目をつむる。

「んっ……ふぅ……」

「絢ってば、罰ゲームなのにきもちよくなっちゃってるね」

「……なって、ないけど」

「仕方ないよね。絢は、きもちいいこと大好きな、ヘンタイさんだからね」

それはだって、鞠佳が。

断続的な刺激に、思考が分断される。口を開こうとすると、吐息が漏れる。そのたびに鞠佳が、嬉《うれ》しそうな顔をした。

鞠佳が自分の罪悪感を軽くするために、わざと悪役を買って出てくれたというのに、さらにまた悔しくなってしまって。砂をかけるような気持ちで問う。

「……いつも、してる風に、してるの？」

「なにが？」

絢は薄く目を開いて、鞠佳を見上げながら挑発する。

「いつも、自分にしてる風に、いじってくれてるのかな、って」

「なっ……」

鞠佳の顔が明らかに赤くなった。

「そっ、そういうわけじゃないし。絢がいいと思うように、やってあげてるだけなんだから。ほら……ほらっ」

「んんっ」

小さな抵抗は逆効果だった。鞠佳の指が、入り口の、やや上のほうをこする。女の子共通の弱点は、もちろん絢にだって効き目たっぷり。それも、大好きな鞠佳にされているのだから、声を我慢するほうが難しかった。

両腕を拘束されている状態では、口を押さえることだってできない。激しく揺れる両脚に、今度こそ鞠佳が本気で体重をかけてきた。

「いっつもあたしのことからかってるけど、絢だってほら、されたらやっぱりこんな風になっちゃうじゃん。かわいいんだから」

「……ちがう」

「違わないってば」

鞠佳に上着とブラをめくられて、白い胸が露出する。

「ね、絢。だから、なんでもかんでも自分のせいだって、思わなくていいんだからね」

責めとは違う声色《こわいろ》に、思わず聞き返す。

「それは……？」

「……ちゃんとふたりで、歩んでいこうよ、ってこと」

白い指が、絢の胸を弾《はじ》く。撫でられ、こすられ、揉《も》みしだかれ、上半身が熱い。鞠佳の言葉にまで頭が回らない。

前にされたときより、鞠佳がうまくなっている気がする。ずっと逆襲の機会を狙《ねら》っていたのかもしれない。

「あたしね、してもらうことを当たり前だって、心のどこかで思っていたから、負担をかけちゃったわけだし。あたしも、絢にこんな風にするの、好きだし……。たまには、さ」

鞠佳にキスされて、ようやく一呼吸つけた。

汗で張りついた髪をわずらわしく思っていると、鞠佳が指でかきわけてくれた。彼女を見上げながら、言う。

「……私は、鞠佳にするほうが、好き」

鞠佳が不安そうに尋ねてくる。

「されるのは、やだ？」

「なんか……おちつかない。はずかしいし……」

また手錠をかちゃかちゃ鳴らしてしまう。

「あたしは絢のはずかしいとこ、もっといっぱい見たいな」

「………」

はっきりと、見せたくない、って言って拒絶することもできたのかもしれない。

だけどそれは……さすがに、ずるい。

鞠佳がいつだって、こんなに全力でぶつかってくれるのに。

「……ごめん、鞠佳」

「え、いや、そんな思い詰めてほしくはないっていうか」

ちょっとむずがっただけで、そんな風に本気で心配してくれて。鞠佳はやっぱり優しすぎて、強引に責めるのは向いてないな、って思う。

「急には、できないから……」

恥ずかしさに爆発《ばくはつ》しそうになりながら、絢は鞠佳を見上げた。

口を尖《とが》らせて、告《つ》げる。

「ちょっとずつなら……いい」

自分には、そうすることしかできないから。

なんでもスキップで乗り越えちゃう鞠佳とは、違うから。

「……うんっ」

嬉しそうに鞠佳が、キスの雨を降らせてくる。

唇だけじゃなくて、頬や耳、首筋や、胸にも。

まるで仔犬にじゃれつかれてるみたいだけど、そうじゃない。鞠佳は本来、絢が望んでも手の届かないほど、高嶺《たかね》の花だった女の子だ。

それもそうか、と思い直す。

せっかく鞠佳と付き合えるようになって、それで自分がいつまでも自分のままで変わらずにだなんて、最初から虫のいい話だったのだ。

「ねえ、鞠佳」

「なぁに？」

甘い声の鞠佳に、微笑む。

「私ね……。まだ、鞠佳に言えないこと、いろいろあるけど、でも、ちょっとずつ、がんばるから」

「嬉しい。でも、絢に無理してほしいわけじゃないからね」

「うん。愛してるから、鞠佳のこと」

「あたしも！」

責められてるときと違って、責めてるときの鞠佳は無邪気で、世界でいちばんかわいらしい。

その頬を撫でることができないのが、やっぱりもどかしかった。

「じゃあ、そろそろ手錠をはずしてくれるかな」

「え、それはダメ」

あっけなく断られて、絢は眉根《まゆね》を寄せる。

「……なんで？」

「だって、まだ絢をいっぱいきもちよくさせてあげられてないもん」

鞠佳が思い出したように、くにくにと指を動かし始める。

ぴりりとした電流が走り、絢は思わず顔をしかめた。

「や、でも、ちょっとずつ、って……さっき」

「でも今回は、罰ゲームだから」

「まりか……あっ」

わざと低い声を出したのに、その語尾が跳ねてしまった。

恥ずかしくなって、鞠佳を睨みつける。だけど鞠佳は、笑っている。

かっているけど、それをこちらから口に出すのはあまりにもかっこ悪いから。

ずるい。なんてずるい子になってしまったんだ。

絢は思わず言葉を呑《の》み込む。ぜんぶ、鞠佳が自分の気を晴らすためにしてくれたことだとわ
「ために、なに?」

「それは、鞠佳が、私のために……」

「罰ゲームだもんー」


「鞠佳ぁ……」

「付き合うと似てくるって言うもんねえ?」

もちろん、普段だったらそれでも後《おく》れを取ることはまずない。ただ今は、腕を手錠で繋《つな》がれている上、精神的にすごく負い目があるので……。

おかげで、いいようにやられてしまっている。

「ふっ……んぅっ……」

「でもなんだかんだ、絢だってとろとろになっちゃってるし……ねえ、このまま続けていったら、あたしにされるのもハマっちゃうんじゃない? 百日間ぐらいかけて、ねえ?」

「いい、けど……べつ、に……っ」

鞠佳の優しい手つきでも、しつこく責められていたら、ガマンがきかなくなってきた。全身がぷるぷる震える。この分だと、そう遠くないうちに達してしまうだろう。

二の腕に顔を押しつけて、せめて鞠佳に見られないようにと抵抗するも。

鞠佳が耳孔《じこう》にキスをしてきて、そのまま舌を突き入れてきた。

「ふふふぅ……絢、だぁいいいすきぃい」

「んっ………っ」

耳を舐《な》めしゃぶられながら、さらに愛をささやかれる。これはかなり、効いた。

「まりか、やだ、ほんとに、とめて」

「愛してる、絢。大好き、大好き、大大大好き……ずっと好き、愛してる、ずっといっしょだよ。ずっと、ずぅっと、いっしょにいようねぇ」

「だめ、だめだから、まりか、やっ、だめ――」

もう声に余裕がなくなって、それでも鞠佳はやめてくれるどころか、ますます執拗《しつよう》に絢の身体を苛《いじ》めてきた。

行為に必死になってきたからか、力加減にも遠慮がなくて、その激しさが絢を一気に高ぶらせる。

「だめ、だめだめ、だめ……っ、まりか、まりかぁ……！」

頭が真っ白になる。絢の全身が、ぴりぴりと痙攣《けいれん》する。

ついに初めての、恋人の手によって与えられる快楽の頂《いただ》きに上り詰めてしまった絢は、何度もびくびくと震えて、荒い呼吸を繰り返す。

女の子が達する瞬間を、生で初めて目撃した鞠佳は、ちょっとびっくりしているみたいだった。だけどその照れ顔には、どこか達成感の影が見えている。

絢はしばらく経って落ち着いても、恥ずかしくて鞠佳の顔が見られなかった。

「絢」

「……」

鞠佳が頬にキスをしてくる。

「大好きだよ、絢」

「…………」

別に、鞠佳が初めての相手というわけではない。

可憐《かれん》さんやアスタとシたことがあるのは、鞠佳にもバレてるわけだし。アスタはされるのが好きだったけど、可憐さんは特に若い子相手には責めるのが好きで、絢もその毒牙《どくが》にかけられたわけで。

だけど、なんだろうか、この気持ちは。

裸のさらにその中を見られてしまったみたいな心細さと、それに、委《ゆだ》ねた自分を受け入れてもらったことに対する、安堵《あんど》。

「……鞠佳め」

ただ、しばらく素直にはなれそうにない。

「なぁに？　絢ちゃん」

「……あとで、みててよ」

「はいはい、はーい」

悔しい、歯がゆい、にくたらしい。

かわいい、愛らしい、きもちいい、好き、大好き、抱きしめたい。

いくつもの相反する大きな感情の中、どれが本当の気持ちなのかわからなくなりそうで、絢は鞠佳を見上げた。

蛍光灯を背に微笑む鞠佳は、いつもよりずっと大人っぽく見えてしまって。

「鞠佳、きらい。……………………好き、だけど」

拗《す》ねながら言ったら、鞠佳が勢いよく抱きついてきた。

「かわいすぎ！　大好き！」

「ああもう！　手錠、はずしてよ！」

胸元《むなもと》に顔をすりよせてくる鞠佳に、さすがの絢も耐えきれなくなって叫んだのだった。


手錠を外してもらって、ふたりはひとつのベッドの上に寝転んでいた。

「さすがに罰ゲームではやんないけどさ」

鞠佳は隣で頬杖《ほおづえ》をつきながら、絢の顔を覗《のぞ》き込んでいる。

さんざん仕返しをシたあとで、ふたりは汗も乾いた下着姿。

鞠佳が、ぼんやりとつぶやく。

「別に、あたしが絢の、その……あれを、もらったっていいわけだし」

「あれ」

「いや、だから今回の一件の、あれだってば」

むーむーと睨まれて、ああ、と絢はようやく納得した。

「処女《しょじょ》」

「そうだけど！　なんでそれは恥ずかしがらないんだ⁉」

なんでって聞かれても、わからない。ただの名詞だからじゃないかな。

「それは、鞠佳が私のナカ、奥まで指入れたいってこと？」

「ぜんぶ言うじゃん⁉　いやまあ、そういうことだけど！　ちょっと怖いけど絢がしてほしいなら、あたしがちゃんと勇気出すからさ――」

「――別にいいけど」

「えっ⁉」

「鞠佳の望む結果には、ならないかも」

「それは、どういう……」

しばらく考え込んだ鞠佳は、ハッと顔色を変えた。

「あ、ああ、そういう……？　いや、別にいいけどね。絢が誰と初めてをしたとか、今さらそんなの気にしないいし。絢は今、あたしの恋人だし」

とは言うものの、鞠佳はずいぶんと動揺している様子だ。

「彼氏か彼女か知らないけど、いいけどね！　いいけどさ⁉」

この話題になると鞠佳はいっつも拗ねているので、『いいけど』と口癖のように言う割にぜんぜん受け入れられていないのは、明らかなのだけど……。

もしかしたら本当に、本人は気づいてないのかもしれない。

「うーん……」

ただ流石にあれを告げるのは渋る。

「いいけど。別に……いいけど……」

だけど、気づけば鞠佳が泣き出しそうになってしまっていたから、言う以外の選択肢はなかった。

「あのね、鞠佳。おちついて聞いて」

「っ……う、うん」

絢は目をそらす。

「他の誰にささげたとか、そういうのじゃないの」

「でも、だって」

「ただ、したことがあって」

「……したこと？　なにを」

切実に問いかけてくる鞠佳の瞳に向かって。

絢はただひたすら気まずそうに、その一言を告げた。

「………………その、自分で」

しばらくぽかんとした鞠佳が、大げさに爆笑したのだけが、納得いかなかった。

あとがき

ごきげんよう、みかみてれんです。

このたび『女同士とかありえないでしょと言い張る女の子を、百日間で徹底的に落とす百合《ゆり》のお話』こと『**ありおと**』の4巻を手に取ってくださって、ありがとうございます。

恋人同士はきょうも仲良し。だけど、みんなそれぞれにいろんな想《おも》いがあって、女の子はひたむきに一生懸命がんばってます！　というお話でした。

4巻では、ついにここまで来たか、と感慨《かんがい》があります。（胸に手を当てて）

というのも、ついに同人版の最新刊に追いついたのです。なので、次回のありおと5巻からは、完全に書き下ろしになります！

少し話は変わるんですが、ありおとを商業で出しましょう！　とお話をいただいた時点での最初の目標は、**3巻を出すこと**でした。

読んでくださった方はわかるように（逆に、4巻のあとがきを読んでいる人で、3巻を読んでいない人ってどういう人なんだ……？）3巻は、お話が一区切《ひとくぎ》りつく巻でもあります。

なので、３巻まで出せたらいいなあ、という気持ちをもっていたんですが、あれよあれよという間に**4巻が出てしまって。そして次なる目標である5巻も、どうやら商業で出せそうな雰囲気《ふんいき》が漂《ただよ》っています。**

同人版の読者さんには、わたしの未熟《みじゅく》さゆえ長らくおまたせしてしまいました。わたしが一**ヶ月に一冊のペースで本を書けたら今頃はありおとの同人版も出てさらには年間12冊のガルコメがラノベ史上を潤《うるお》わせていたでしょうに……。**それどころか、最近は一冊一冊に時間をかけすぎて、ますますペースが落ちている始末……これからも精進《しょうじん》を重ねます……。

というわけで！　誰《だれ》も見たことがない鞠佳《まりか》と絢《あや》の新たな物語を、次回からお届けいたします。

次は三年生編だー！

今回もあとがきを４Pもらえたので、それでは少し、４巻の内容についてのお話も。

４巻は大勢のキャラクターにスポットが当たるにぎやかなストーリーです。こちらは、ガールズラブコメにおいて『恋愛』と並ぶ大切な柱、『友情』がテーマになっています。

しかし！　女同士の友情を描いた物語というのは、女同士のラブより遥《はる》かにたくさんあります。（遥かにたくさんあります、と言い切れるようになったのは、いい時代ですね……）

なのにわざわざ『ありおと』で友情の物語を描く意味とは？

ただ作者が書きたかったからじゃん……⁉

いえ、そうではありません。（書きたかったよ!!）

ありおとでしかできない友情物語と言えば、それは、**女の子に恋をした女の子たちのお話に他なりません。**

彼女たちはみんな、自分の恋をがんばる仲間なのです。

友情には多くの形があります。それは、もしかしたら恋愛より幅広《はばひろ》いのかもしれません。

その中で鞠佳は今回、友達の恋を応援するための理由として『自分が今、好きな人と付き合えて幸せだから』と、『もし絢に片思いをしたままだったら、つらかっただろうから』というふたつの動機を持ち出します。

共感というのは、人間がもつ感情の中でも、特に美しいものだとわたしは思います。

だから友達が同じ思いを味わってしまいそうになったら、手を差し伸べたい。放ってはいられない。

『女同士の友情なんて～、ってよく言われるけどさ。そんなのあるに決まってるし。あたしは周りの人にはちゃんと幸せになってほしいもん。』とは本編における鞠佳の弁《べん》ですが、彼女の心はここに詰まっているのでした。

というわけで、友情と愛情の４巻、楽しんでいただけたら幸いです。

絢には少々不穏《ふおん》な影が見え隠れしますが……大丈夫でしょう、きっとふたりなら！

それでは謝辞《しゃじ》です。

今回から、イラストレーターさまが交代となりました。雪子《ゆきこ》さん、今まで本当にありがとうございました！　これからも益々《ますます》のご活躍をお祈り申し上げます！

そして新たに、縣《わた》先生が担当となってくださいました！　ふたりの雰囲気をそのままに、絢のお姫様のような色気と、鞠佳のイマ風の陽《よう》キャ女子高生っぽさを、めちゃめちゃ上手に描いてくださいました。口絵の彼女たち、すっごくかわいいね～～！　これからよろしくお願いいたします！

また、担当のねこぴょんさん、さらにこの本を作るために関わってくださった多くの方々、心からありがとうございます。５巻がセンシティブになるかどうかはまだわかりませんが、鞠佳と絢の魅力を引き出せるようにがんばります。

そしてなによりも、この本をお手にとってくださった方や、この本を売るためにがんばってくださった書店員の方々に、大きな感謝を。

そういえば、かやこ先生の描く『ありおとコミカライズ』が6月7日に1巻発売したけど、もう読んだ？　あやまり最高にかわいかったよね！！　マンガってすげーや！

それでは、またどこかでお会いできますように！　みかみてれんでした！

ファンレター、作品の
ご感想をお待ちしています

〈あて先〉

〒106－0032
東京都港区六本木2－4－5
SBクリエイティブ（株）
GA文庫編集部 気付

「みかみてれん先生」係
「緜先生」係

本書に関するご意見・ご感想は
右の QR コードよりお寄せください。

※アクセスの際や登録時に発生する通信費等はご負担ください。

https://ga.sbcr.jp/

女同士とかありえないでしょと言い張る女の子を、百日間で徹底的に落とす百合のお話4

発 行　2021年8月31日　初版第一刷発行
著 者　みかみてれん
発行人　小川 淳

発行所　SBクリエイティブ株式会社
〒106−0032
東京都港区六本木2−4−5
電話　03−5549−1201
03−5549−1167(編集)

装 丁　FILTH

印刷・製本　中央精版印刷株式会社

ISBN978-4-8156-1137-8
Printed in Japan　GA文庫

試読版は
こちら!

友達の妹が俺にだけウザい8

著：三河ごーすと　画：トマリ

GA文庫

「彩羽、寂しがってんのかな……」

　修学旅行。それは青春の一大イベント。旅行中に差をつけるため、明照への積極アプローチで勝負に出た真白。しかし、修学旅行中に動きはじめたのは真白だけではなかった！

「大星君、うそついてるよね？　だったら……私にもチャンスがあるってことだよね？」

　想定外の強力ライバル出現で、真白に激震走る！　その頃一人ぼっちでとり残された彩羽は怒涛の遠距離ウザ絡みを開始。さらに彩羽がそれだけで終わるはずもなく――？　恋する乙女たちが清水の舞台から飛び降りる!?　メインヒロイン不在で混迷必至のいちゃウザ青春ラブコメ、地獄の修学旅行編スタート！

試読版は
こちら!